Heath's Modern Language Series

PÊCHEUR D'ISLANDE

PAR

PIERRE LOTI

EDITED WITH INTRODUCTION AND NOTES

BY

O. B. SUPER

WHEN PROFESSOR OF ROMANCE LANGUAGES, DICKINSON COLLEGE

WITH VOCABULARY

D. C. HEATH & CO., PUBLISHERS
BOSTON   NEW YORK   CHICAGO

INTRODUCTION

PIERRE LOTI, whose real name is Julien Viaud, was born at Rochefort, January 14, 1850. "Loti" is the name of a tropical flower, and Mr. Viaud says it was given him by some native women of Tahiti when he visited that island in 1872. He was a delicate and retiring child, and was led to adopt a sailor's life by reading accounts of voyages in his boyhood. After some preliminary studies he entered the navy as midshipman in 1870, became ensign in 1873, and lieutenant in 1881. He took part in the Tonkin campaign (see note to p. 17, line 5), and was thus a witness of some of the scenes described in this book. In 1891 he became a member of the French Academy as the successor of Octave Feuillet and occupant of the chair immortalized by Racine, Crébillon, and Scribe. Since this time his professional duties have been such as to permit his remaining on land most of the time, and he now lives in the old house at Rochefort in which he was born, devoting much time to literary work.

Loti discovered his literary talent almost by accident. While returning from a cruise in the East, it occurred to him to write his *Impressions de Voyage* in order to while away the tedium of a long confinement on board of a ship. On arriving at Paris, this manuscript was offered to the *Revue des Deux Mondes* and was eagerly accepted and as eagerly read, giving its author an immediate literary reputation. Since that time, Loti has been a prolific writer. A complete list of his works with year of publication, will be found below, but the following are the most important ones: *Mon frère Yves, Pêcheur d'Islande, Le Mariage de Loti, Le Roman d'un Spahi, Fantôme d'Orient, L'Exilée, Le Désert, Ramuntcho, Reflets sur la sombre route.*

It has been said of Loti that he never learned to write, because he owes to nature alone his qualities of style. He has the gift of expressing exactly and completely all that he thinks, even to the most infinite details; of depicting the most subtle, the most fugitive shades of his impressions of art or nature as well as of his mind. He is unexcelled in bringing before his readers in a few lines the vision of a landscape, in seizing and bringing out the salient points in a description. He possesses an extraordinary talent for " feeling the personality in the impersonality of nature." But it is in paintings of the sea that he specially excels. Here he " did the undone and outdid all the done." He shows us the sea, as no writer before him had ever realized it. " The sea, with its fawnings and furies, with its moving green mountains and turquoise tints; with its fogs and shadowy mist in the far northern oceans, where reigns perpetual moonlight; the fire of the Red, the blue of the Antarctic, and the gray of the Arctic sea."

Loti has probably never written anything better than *Pêcheur d'Islande*. " Out of the slightest materials, without plot, with a theme seemingly so well

known as to defy rejuvenescence or even interest in
their banal subjects, he has created a masterpiece
whose power of description, whose poetry and sin-
cerity, whose pathetic reality and simplicity, placed it
above the plane of fiction and criticism, and moved
a continent to tears."

For students of some degree of maturity it would
be difficult to find more suitable reading matter than
this book. This is true for several reasons. In the
first place, it is one of the greatest works of one of
the greatest living writers of French fiction. Again,
it is intensely interesting in itself, and, moreover,
affords excellent mental discipline in translating Loti's
brilliant descriptions into correct and equivalent English. This will not always be found an easy task, but
the earnest student will find the effort well worth the
trouble. It is believed that the present edition will
furnish all the necessary help to such students, by
defining all words not found in ordinary school dic-
tionaries or not adequately defined there.

This edition is based on one originally made by
Professor R. J. Morich, of Wellington College, England (which was found imperfect for various reasons),
and some of the original notes have been retained
unchanged, as also the text, the latter having for good
reasons been somewhat abridged in the earlier edition.

Loti's published works are as follows: *Aziyadé,*
1879; *Rarahu,* 1880; *Le roman d'un Spahi,* 1881; *Le
mariage de Loti,* 1882; *Fleurs d'ennui,* 1882; *Mon
frère Yves,* 1883; *Les trois dames de la Kasbah,* 1884;
Pêcheur d'Islande, 1886; *Propos d'exil,* 1887; *Mme
Chrysanthème,* 1887; *Japonneries d'automne,* 1889;

Au Maroc, 1890; *Le roman d'un enfant,* 1890; **Le livre de la pitié et de la mort,** 1891; *Fantôme d'Orient,* 1892; *L'Exilée,* 1893; *Matelot,* 1893; *Le désert,* 1894; *Jérusalem,* 1895; *La Galilée,* 1895; *Pages choisies,* 1896; *Figures et choses qui passaient; Ramuntcho,* 1897; *Judith Renaudin, drame,* 1898; *Reflets sur la sombre route,* 1899; *Les derniers jours de Pékin,* 1902.

O. B. S.

DICKINSON COLLEGE
February, 1902

PÊCHEUR D'ISLANDE[1]

I

Ils étaient cinq, aux carrures terribles, accoudés à boire,[2] dans une sorte de logis sombre qui sentait la saumure[3] et la mer. Le gîte, trop bas pour leurs tailles, s'effilait par un bout, comme l'intérieur d'une grande mouette vidée; il oscillait faiblement, en rendant une 5 plainte monotone, avec une lenteur de sommeil.

Dehors, ce devait être[4] la mer et la nuit, mais on n'en savait trop[5] rien: une seule ouverture coupée dans le plafond était fermée par un couvercle en bois, et c'était une vieille lampe suspendue qui les éclairait en vacil- 10 lant.

Il y avait du feu dans un fourneau; leurs vêtements mouillés séchaient, en répandant de la vapeur qui se mêlait aux fumées de leurs pipes de terre.

Leur table massive occupait toute leur demeure; elle 15 en prenait très exactement la forme, et il restait juste de quoi[6] se couler autour pour s'asseoir sur des cais- sons étroits scellés aux murailles de chêne. De grosses poutres passaient au-dessus d'eux, presque à toucher leurs têtes; et, derrière leur dos, des couchettes qui 20 semblaient creusées dans l'épaisseur de la charpente s'ouvraient comme les niches d'un caveau pour mettre

les morts. Toutes ces boiseries étaient grossières et
frustes, imprégnées d'humidité et de sel; usées, polies
par les frottements de leurs mains.

Ils avaient bu, dans[1] leurs écuelles, du vin et du
5 cidre, aussi[2] la joie de vivre éclairait leurs figures qui
étaient franches et braves.

Contre un panneau du fond, une sainte vierge[3] en
faïence était fixée sur une planchette, à une place
d'honneur. Elle était un peu ancienne, la patronne de
10 ces marins, et peinte avec un art encore naïf. Mais les
personnages en faïence se conservent beaucoup plus
longtemps que les vrais hommes; aussi sa robe rouge
et bleue faisait encore l'effet d'une petite chose très
fraîche au milieu de tous les gris sombres de cette
15 pauvre maison de bois. Elle avait dû[4] écouter plus
d'une ardente prière, à des heures d'angoisses; on avait
cloué à ses pieds deux bouquets de fleurs artificielles
et un chapelet.

Ces cinq hommes étaient vêtus pareillement, un
20 épais tricot de laine bleue serrant le torse[5] et s'enfon-
çant dans la ceinture du pantalon; sur la tête, l'espèce
de casque en toile goudronnée qu'on appelle *suroît*[6]
(du nom de ce vent de sud-ouest qui dans notre hé-
misphère amène les pluies).

25 Ils étaient d'âges divers. Le *capitaine* pouvait avoir
quarante ans; trois autres, de vingt-cinq à trente. Le
dernier, qu'ils appelaient Sylvestre ou Lurlu, n'en avait
que dix-sept. Il était déjà un homme, pour la taille et
la force; une barbe noire, très fine et très frisée, cou-
30 vrait ses joues; seulement il avait gardé ses yeux d'enfant, d'un gris bleu, qui étaient extrêmement doux et
tout naïfs.

Très près les uns des autres, faute d'espace, ils paraissaient éprouver un vrai bien-être, ainsi tapis dans leur gîte obscur.

Dehors, ce devait être la mer et la nuit, l'infinie désolation[1] des eaux noires et profondes. Une montre de cuivre, accrochée au mur, marquait onze heures, onze heures du soir sans doute; et, contre le plafond de bois, on entendait le bruit de la pluie.

Cependant Sylvestre s'ennuyait, à cause d'un autre appelé Jean (un nom que les Bretons[2] prononcent Yann), qui ne venait pas.

En effet, où était-il donc ce Yann; toujours à l'ouvrage là-haut? Pourquoi ne descendait-il pas prendre un peu de sa part de la fête?

« Tantôt minuit, pourtant,» dit le capitaine.

Et, en se redressant debout, il souleva avec sa tête le couvercle de bois, afin d'appeler par là ce Yann. Alors une lueur très étrange tomba d'en haut:

« Yann! Yann! Eh! *l'homme!* »[3]

L'homme répondit rudement du dehors.

Et, par ce couvercle un instant entr'ouvert, cette lueur si pâle qui était entrée ressemblait bien à celle du jour. « Bientôt minuit.» Cependant c'était bien comme une lueur de soleil, comme une lueur crépusculaire renvoyée de très loin par des miroirs mystérieux.

Le trou refermé, la nuit revint, la petite lampe pendue se remit à briller jaune, et on entendit *l'homme* descendre avec de gros sabots par une échelle de bois.

Il entra, obligé de se courber en deux comme un gros ours, car il était presque un géant. Et d'abord il fit une grimace, en se pinçant le bout du nez à cause de l'odeur âcre de la saumure.

Il dépassait un peu trop les proportions ordinaires des hommes, surtout par sa carrure qui était droite comme une barre; quand il se présentait de face, les muscles de ses épaules, dessinés sous son tricot bleu,
5 formaient comme[1] deux boules en haut de ses bras. Il avait de grands yeux bruns très mobiles, à l'expression sauvage et superbe.[2]

Sylvestre, passant ses bras autour de ce Yann, l'attira contre lui par tendresse, à la façon des enfants;
10 il était fiancé à sa sœur et le traitait comme un grand frère. L'autre se laissait caresser avec un air de lion câlin, en répondant par un bon sourire à dents blanches.

Ses dents, qui avaient eu chez lui plus de place[3] pour s'arranger que chez les autres hommes, étaient
15 un peu espacées et semblaient toutes petites. Ses moustaches blondes étaient assez courtes, bien que jamais coupées; elles étaient frisées très serré[4] en deux petits rouleaux symétriques au-dessus de ses lèvres qui avaient des contours fins et exquis; et puis elles
20 s'ébouriffaient aux deux bouts, de chaque côté des coins profonds de sa bouche. Le resté de sa barbe était tondu ras, et ses joues colorées avaient gardé un velouté frais, comme celui des fruits que personne n'a touchés.[5]

25 On remplit de nouveau les verres, quand Yann fut assis, et on appela le mousse pour rebourrer les pipes et les allumer.

Cet allumage était une manière pour lui de fumer un peu.[6] C'était un petit garçon robuste, à la figure
30 ronde, un peu[7] le cousin de tous ces marins qui étaient plus ou moins parents entre eux; en dehors de son travail assez dur, il était l'enfant gâté du bord. Yann

le fit boire dans son verre,[1] et puis on l'envoya se
coucher...

Quand ils eurent fini leur fête, — célébrée en l'honneur de l'Assomption[2] de la Vierge, leur patronne, —
il était un peu plus de minuit. Trois d'entre eux se 5
coulèrent pour dormir dans les petites niches noires
qui ressemblaient à des sépulcres, et les trois autres
remontèrent sur le pont reprendre le grand travail in-
terrompu de la pêche: c'étaient Yann, Sylvestre, et
un de leur pays[3] appelé Guillaume. 10

Dehors il faisait jour, éternellement jour.[4]

Mais c'était une lumière pâle, pâle,[5] qui ne ressemblait à rien; elle traînait sur les choses comme des
reflets de soleil mort. Autour d'eux, tout de suite
commençait un vide immense qui n'était d'aucune cou- 15
leur, et en dehors des planches de leur navire, tout
semblait diaphane, impalpable, chimérique.

L'œil saisissait à peine ce qui devait être[6] la mer:
d'abord cela prenait l'aspect d'une sorte de miroir
tremblant qui n'aurait[7] aucune image à refléter; en se 20
prolongeant, cela paraissait devenir une plaine de
vapeurs, — et puis, plus rien; cela n'avait ni horizon
ni contours.

La fraîcheur humide de l'air était plus intense, plus
pénétrante que du vrai froid, et, en respirant, on sen- 25
tait très fort le goût du sel. Tout était calme et il
ne pleuvait plus; en haut, des nuages informes et in-
colores semblaient contenir cette lumière latente qui
ne s'expliquait pas; on voyait clair, en ayant cependant conscience[8] de la nuit, et toutes ces pâleurs[9] des 30
choses n'étaient d'aucune nuance pouvant être nom-
mée.

Ces trois hommes qui se tenaient là vivaient depuis leur enfance sur ces mers froides, au milieu de leurs fantasmagories qui sont vagues et troubles comme des visions. Tout cet infini changeant, ils avaient cou-
5 tume de le voir jouer autour de leur étroite maison de planches, et leurs yeux y étaient habitués autant que ceux des grands oiseaux du large.[1]

Le navire se balançait lentement sur place, en ren-dant toujours sa même plainte, monotone comme une
10 chanson de Bretagne[2] répétée en rêve par un homme endormi. Yann et Sylvestre avaient préparé très vite leurs hameçons et leurs lignes, tandis que l'autre ouvrait un baril de sel et, aiguisant son grand couteau, s'asseyait derrière eux pour attendre.

15 Ce ne fut pas long. A peine avaient-ils jeté leurs lignes dans cette eau tranquille et froide, ils les re-levèrent[3] avec des poissons lourds, d'un gris luisant d'acier.

Et toujours, et toujours, les morues vives[4] se fai-
20 saient prendre; c'était rapide et incessant, cette pêche silencieuse. L'autre éventrait, avec son grand cou-teau, aplatissait, salait, comptait, et la saumure[5] qui devait faire leur fortune au retour s'empilait derrière eux, toute ruisselante et fraîche.

25 Les heures passaient monotones, et, dans les gran-des régions vides du dehors, lentement la lumière changeait; elle semblait maintenant plus réelle. Ce qui avait été un crépuscule blême, une espèce de soir d'été hyperboré, devenait à présent, sans intermède de nuit,
30 quelque chose comme une aurore, que tous les miroirs de la mer reflétaient en vagues traînées roses.

« C'est sûr que tu devrais[6] te marier, Yann,» dit

tout à coup Sylvestre, avec beaucoup de sérieux, en
regardant dans l'eau. (Il avait l'air de bien en connaître quelqu'une en Bretagne qui s'était laissée prendre
aux yeux bruns de son grand frère, mais il se sentait timide en touchant à[1] ce sujet grave.)   5

« Moi! Un de ces jours, oui, je ferai mes noces;»
et il souriait, ce Yann, toujours dédaigneux, roulant
ses yeux vifs; « mais avec aucune des filles du pays;[2]
non, moi, ce sera avec la mer, et je vous invite tous,
ici tant que vous êtes, au bal que je donnerai.»   10

Ils continuèrent de pêcher, car il ne fallait pas perdre son temps en causeries: on était au milieu d'une
immense peuplade de poissons, d'un *banc*[3] voyageur,
qui, depuis deux jours, ne finissait pas de passer.

Ils avaient tous veillé la nuit d'avant[4] et attrapé, 15
en trente heures, plus de mille morues très grosses;
aussi leurs bras forts étaient las, et ils s'endormaient.
Leur corps veillait seul, et continuait de lui-même sa
manœuvre de pêche, tandis que, par instants, leur
esprit flottait en plein sommeil.[5] Mais cet air du large 20
qu'ils respiraient était vierge comme aux premiers
jours du monde, et si vivifiant que, malgré leur fatigue, ils se sentaient la poitrine dilatée et les joues
fraîches.

La lumière matinale, la lumière vraie, avait fini par 25
venir; comme au temps de la Genèse[6] elle s'était *séparée d'avec les ténèbres* qui semblaient s'être tassées
sur l'horizon, et restaient là en masses très lourdes; en
y voyant si clair,[7] on s'apercevait bien à présent qu'on
sortait de la nuit, — que cette lueur d'avant avait été 30
vague et étrange comme celle des rêves.

Dans ce ciel très couvert, très épais, il y avait çà et

là des déchirures, comme des percées[1] dans un dôme,
par où arrivaient de grands rayons couleur d'argent
rose.

Les nuages inférieurs étaient disposés en une bande
5 d'ombre intense, faisant tout le tour des eaux, emplis-
sant les lointains d'indécision et d'obscurité. Ils donnaient l'illusion d'un espace fermé, d'une limite; ils
étaient comme des rideaux tirés sur l'infini, comme des
voiles tendus pour cacher de trop gigantesques
10 mystères qui eussent troublé l'imagination des
hommes. Et puis, peu à peu, on vit s'éclairer très
loin une autre chimère: une sorte de découpure
rosée[2] très haute, qui était un promontoire de la sombre
Islande.

15 Les noces de Yann avec la mer! Sylvestre y re-
pensait, tout en continuant de pêcher sans plus oser
rien dire. Il s'était senti triste en entendant le sacrement du mariage ainsi tourné en moquerie par son
grand frère; et puis surtout, cela lui avait fait peur,
20 car il était superstitieux.

Depuis si longtemps il y songeait, à ces noces de
Yann! Il avait rêvé qu'elles se feraient avec Gaud
Mével, — une blonde de Paimpol,[3] — et que, lui, aurait la joie de voir cette fête avant de partir pour le
25 service, avant cet exil de cinq années,[4] au retour incertain, dont l'approche inévitable commençait à lui
serrer le cœur.

Quatre heures du matin. Les autres, qui étaient
restés couchés en bas, arrivèrent tous trois pour
30 les relever. Encore un peu endormis, humant à
pleine poitrine le grand air froid, ils montaient en
achevant de mettre leurs longues bottes, et ils fer-

maient les yeux, éblouis d'abord par tous ces reflets de lumière pâle.

Alors Yann et Sylvestre firent rapidement leur premier déjeuner du matin avec des biscuits ; après les avoir cassés à coups de maillet, ils se mirent à les 5 croquer d'une manière très bruyante, en riant de les trouver si durs. Ils étaient redevenus tout à fait gais à l'idée de descendre dormir, d'avoir bien chaud dans leurs couchettes, et, se tenant l'un l'autre par la taille, ils s'en allèrent jusqu'à l'écoutille, en se dandinant[1] 10 sur un air de vieille chanson.

Avant de disparaître par ce trou, ils s'arrêtèrent à jouer avec un certain Turc, le chien du bord,[2] un terre-neuvien tout jeune, qui avait d'énormes pattes encore gauches et enfantines. Ils l'agaçaient de la 15 main ; l'autre les mordillait comme un loup, et finit par leur faire du mal. Alors Yann, avec un fronce- ment de colère dans ses yeux changeants, le repoussa d'un coup trop fort qui le fit s'aplatir et hurler.

Il avait le cœur bon, ce Yann, mais sa nature était 20 restée un peu sauvage,[3] et quand son être physique était seul en jeu, une caresse douce était souvent chez lui très près d'une violence brutale.

Leur navire s'appelait la *Marie,* capitaine Guermeur. Il allait chaque année faire la grande pêche dangereuse 25 dans ces régions froides où les étés n'ont plus de nuits.

Il était très ancien, comme la vierge de faïence sa patronne. Ses flancs épais, à vertèbres de chêne, étaient éraillés, rugueux, imprégnés d'humidité et de saumure ; mais sains encore et robustes, exhalant les 30 senteurs vivifiantes du goudron. Au repos il avait un air lourd, avec sa membrure massive, mais quand les

grandes brises d'ouest soufflaient, il retrouvait sa
vigueur légère, comme les mouettes que le vent ré-
veille.   Alors il avait sa façon à lui de *s'élever à la
lame* et de rebondir, plus lestement que bien des
5 jeunes, taillés avec les finesses modernes.

Quant à eux, les six hommes et le mousse, ils étaient
des *Islandais* (une race vaillante de marins qui est
répandue surtout aux pays de Paimpol et de Tréguier,[1]
et qui s'est vouée de père en fils à cette pêche-là).
10 Ils n'avaient presque jamais vu l'été de France.

A la fin de chaque hiver, ils recevaient avec les
autres pêcheurs, dans le port de Paimpol, la bénédic-
tion des départs.   Pour ce jour de fête, un reposoir,
toujours le même, était construit sur le quai; il imi-
15 tait une grotte en rochers et, au milieu, parmi des
trophées d'ancres, d'avirons et de filets, trônait, douce
et impassible, la Vierge, patronne des marins, sortie
pour eux de son église, regardant toujours, de génération en génération, avec ses mêmes yeux sans vie,
20 les heureux pour qui la saison allait être bonne, — et
les autres, ceux qui ne devaient pas revenir.

Le saint-sacrement, suivi d'une procession lente de
femmes et de mères, de fiancées et de sœurs, faisait
le tour du port, où tous les navires islandais, qui
25 s'étaient pavoisés, saluaient du pavillon au passage.
Le prêtre, s'arrêtant devant chacun d'eux, disait les
paroles et faisait les gestes qui bénissent.

Ensuite ils partaient tous, comme une flotte, laissant
le pays presque vide d'époux, d'amants et de fils.
30 En s'éloignant, les équipages chantaient ensemble, à
pleines voix vibrantes, les cantiques de Marie Étoile-
de-la-Mer.[2]

Et chaque année, c'était le même cérémonial de départ, les mêmes adieux.

Après, recommençait la vie du large,[1] l'isolement à trois ou quatre compagnons rudes, sur des planches mouvantes, au milieu des eaux froides de la mer 5 hyperborée.

Jusqu'ici, on était revenu; — la Vierge Étoile-de-la-Mer avait protégé ce navire qui portait son nom.

La fin d'août était l'époque de ces retours. Mais la *Marie* suivait l'usage de beaucoup d'Islandais, qui est 10 de toucher seulement à Paimpol, et puis de descendre dans le golfe de Gascogne[2] où l'on vend bien sa pêche, et dans les îles de sable à marais salants[3] où l'on achète le sel pour la campagne prochaine.

Et puis, avec les premières brumes de l'automne, on 15 rentre au foyer, à Paimpol ou dans les chaumières éparses du pays de Goëlo,[4] s'occuper pour un temps de famille et d'amour, de mariages et de naissances.

II

A PAIMPOL, un beau soir de cette année-là, un dimanche de juin, il y avait deux femmes très occupées 20 à écrire une lettre.

Cela se passait devant une large fenêtre qui était ouverte et dont l'appui, en granit ancien et massif, portait une rangée de pots de fleurs.

Penchées sur leur table, toutes deux semblaient 25 jeunes; l'une avait une coiffe extrêmement grande, à la mode d'autrefois; l'autre, une coiffe toute petite, de la forme nouvelle qu'ont adoptée les Paimpolaises: —

deux amoureuses, eût-on dit, rédigeant ensemble un
message tendre pour quelque bel *Islandais*.

Celle qui dictait — la grande coiffe — releva la tête,
cherchant ses idées. Tiens! elle était vieille, très
5 vieille, malgré sa tournure jeunette,[1] ainsi vue de dos
sous son petit châle brun. Mais tout à fait vieille : une
bonne grand'mère d'au moins soixante-dix ans. Encore jolie par exemple,[2] et encore fraîche, avec les
pommettes[3] bien roses, comme certains vieillards[4] ont
10 le don de les conserver. Sa figure vénérable s'en-
cadrait bien dans les plis de sa coiffe blanche qui lui
donnait un air religieux. Ses yeux, très doux, étaient
pleins d'une bonne honnêteté. Elle n'avait plus trace
de dents, plus rien ;[5] et, quand elle riait, on voyait à
15 la place ses gencives rondes qui avaient un petit air[6]
de jeunesse. Malgré son menton, qui était devenu « en
pointe de sabot »[7] (comme elle avait coutume de dire),
son profil n'était pas trop gâté par les années ; on devinait encore qu'il avait dû être régulier et pur comme
20 celui des saintes d'église.

Elle regardait par la fenêtre, cherchant ce qu'elle
pourrait bien raconter de plus.

Vraiment il n'existait pas ailleurs, dans tout le pays
de Paimpol, une autre bonne vieille comme elle, pour
25 trouver des choses aussi drôles à dire sur les uns ou
les autres, ou même sur rien du tout. Dans cette lettre,
il y avait déjà trois ou quatre histoires impayables, —
mais sans la moindre malice, car elle n'avait rien de
mauvais dans l'âme.

30 L'autre, voyant que les idées ne venaient plus, s'était
mise à écrire soigneusement l'adresse :

A monsieur Moan, Sylvestre,[8] *à bord de la* MARIE,

capitaine Guermeur, — dans la mer d'Islande par
Reickawick.[1]

Après, elle aussi releva la tête pour demander :
« C'est-il[2] fini, grand'mère Moan ? »

Elle était bien jeune, celle-ci, adorablement jeune, 5
une figure de vingt ans. Très blonde, — couleur rare
en ce coin de Bretagne où la race est brune ; très
blonde, avec des yeux d'un gris de lin[3] à cils presque
noirs. Ses sourcils, blonds autant que ses cheveux,
étaient comme repeints au milieu d'une ligne plus 10
rousse, plus foncée, qui donnait une expression de
vigueur et de volonté. Son profil, un peu court, était
très noble, le nez prolongeant la ligne du front avec
une rectitude absolue, comme dans les visages grecs.
Dans toute sa personne svelte, il y avait quelque chose 15
de fier, de grave aussi un peu, qui lui venait des hardis
marins d'Islande ses ancêtres. Elle avait une expression d'yeux à la fois obstinée et douce.

Sa coiffe était en forme de coquille, descendait bas
sur le front, s'y appliquant[4] presque comme un ban- 20
deau, puis se relevant beaucoup des deux côtés, laissant voir d'épaisses nattes de cheveux roulées au-
dessus des oreilles — coiffure conservée des temps très
anciens et qui donne encore un air d'autrefois aux
femmes paimpolaises. 25

On sentait bien qu'elle avait été élevée autrement
que cette pauvre vieille à qui elle prêtait[5] le nom de
grand'mère, mais qui, de fait, n'était qu'une grand'-
tante éloignée, ayant eu des malheurs.

Elle était la fille de M. Mével, un ancien Islandais, 30
un peu forban,[6] enrichi par des entreprises audacieuses
sur mer.

Cette belle chambre où la lettre venait de s'écrire était la sienne : un lit tout neuf à la mode des villes avec des rideaux en mousseline, une dentelle au bord ; et, sur les épaisses murailles, un papier de couleur
5 claire atténuant les irrégularités du granit. Au plafond, une couche de chaux blanche recouvrait des solives énormes qui révélaient l'ancienneté du logis ; — c'était une vraie maison de bourgeois aisés, et les fenêtres donnaient sur cette vieille place grise de
10 Paimpol, où se tiennent les marchés et les pardons.¹

« C'est fini, grand'mère Yvonne ? Vous n'avez plus rien à lui dire ? »

« Non, ma fille, ajoute seulement, je te prie, le bonjour² de ma part au fils Gaos. »

15 Le fils Gaos ! autrement dit Yann. Elle était devenue très rouge, la belle jeune fille fière, en écrivant ce nom-là.

Dès que ce fut ajouté au bas de la page, d'une écriture courue,³ elle se leva en détournant la tête, comme
20 pour regarder dehors quelque chose de très intéressant sur la place.

Debout, elle était un peu grande. Malgré sa coiffe, elle avait un air de demoiselle ; même ses mains, sans avoir cette excessive petitesse étiolée qui est
25 devenue une beauté par convention, étaient fines et blanches, n'ayant jamais travaillé à de grossiers ouvrages.

Il est vrai, elle avait bien commencé par être une petite Gaud⁴ courant pieds nus dans l'eau, n'ayant plus
30 de mère, allant presque à l'abandon⁵ pendant ces saisons de pêche que son père passait en Islande ; jolie, rose, dépeignée,⁶ volontaire, têtue, poussant vigoureuse

au grand souffle âpre de la Manche.[1] En ce temps-là, elle était recueillie l'été par cette pauvre grand'mère Moan, qui lui donnait Sylvestre à garder pendant ses dures journées de travail chez les gens de Paimpol.

Et elle avait une adoration de petite mère pour cet autre tout petit qui lui était confié, dont elle était l'aînée d'à peine dix-huit mois ; aussi brun qu'elle était blonde, aussi soumis et câlin qu'elle était vive et capricieuse.

Elle se rappelait ce commencement de sa vie, en fille que la richesse ni les villes[2] n'avaient grisée : il lui revenait à l'esprit comme un rêve lointain de liberté sauvage, comme un ressouvenir d'une époque vague et mystérieuse où les grèves avaient plus d'espace, où certainement les falaises étaient plus gigantesques.

Vers cinq ou six ans, encore de très bonne heure pour elle, l'argent étant venu à son père qui s'était mis à acheter et revendre des cargaisons de navire, elle avait été emmenée par lui à Saint-Brieuc,[3] et plus tard à Paris. — Alors, de petite Gaud, elle était devenue une *mademoiselle Marguerite,* grande, sérieuse, au regard grave.

Tous les ans, avec son père, elle revenait en Bretagne, — l'été seulement comme les baigneuses, — retrouvant pour quelques jours ses souvenirs d'autrefois et son nom de Gaud (qui en breton veut dire Marguerite) ; un peu curieuse peut-être de voir ces Islandais dont on parlait tant, qui n'étaient jamais là, et dont chaque année quelques-uns de plus manquaient à l'appel ;[4] entendant partout causer de cette Islande qui lui apparaissait comme un gouffre lointain — et où était à présent celui qu'elle aimait.

Et puis un beau jour elle avait été ramenée pour
tout à fait[1] au pays de ces pêcheurs, par un caprice
de son père, qui avait voulu finir là son existence et
habiter comme un bourgeois[2] sur cette place de Paim-
5 pol.

La bonne vieille grand'mère, pauvre et proprette,[3]
s'en alla en remerciant, dès que la lettre fut relue et
l'enveloppe fermée. Elle demeurait assez loin, à l'entrée du pays de Ploubazlanec,[4] dans un hameau de la
10 côte, encore dans cette même chaumière où elle était
née, où elle avait eu ses fils et ses petits-fils.

En traversant la ville, elle répondait à beaucoup de
monde qui lui disait bonsoir : elle était une des anciennes[5] du pays, débris d'une famille vaillante et estimée.
15 Par des miracles d'ordre et de soins, elle arrivait à
paraître à peu près bien mise, avec de pauvres robes
raccommodées, qui ne tenaient plus. Toujours ce
petit châle brun de Paimpolaise, qui était sa tenue
d'habillé,[6] et sur lequel retombaient depuis une soixan-
20 taine d'années les cornets de mousseline de ses grandes
coiffes : son propre châle de mariage, jadis bleu, reteint
pour les noces de son fils Pierre, et depuis ce temps-là
ménagé pour les dimanches, encore bien présentable.

Elle avait continué de se tenir droite dans sa marche,
25 pas du tout comme les vieilles ; et vraiment, malgré
ce menton un peu trop remonté,[7] avec ces yeux si
bons et ce profil si fin, on ne pouvait s'empêcher de la
trouver bien jolie.

Elle était très respectée, et cela se voyait, rien que
30 dans les bonsoirs[8] que les gens lui donnaient.

Mais aujourd'hui elle avait peine à rendre les saluts :

c'est qu'elle se sentait plus fatiguée, plus cassée par sa vie de labeur incessant, et elle songeait à son cher petit-fils, son dernier, qui, à son retour d'Islande, allait partir pour le service. Cinq années! S'en aller en Chine[1] peut-être, à la guerre! Serait-elle bien là, quand il reviendrait? Une angoisse la prenait à cette pensée. Non, décidément, elle n'était pas si gaie qu'elle en avait eu l'air, cette pauvre vieille, et voici que sa figure se contractait horriblement comme pour pleurer.

C'était donc possible cela, c'était donc vrai, qu'on allait bientôt le lui enlever, ce dernier petit-fils... Hélas! mourir peut-être toute seule, sans l'avoir revu. On avait bien fait quelques démarches (des messieurs de la ville qu'elle connaissait) pour l'empêcher de partir, comme soutien d'une grand'mère presque indigente qui ne pourrait bientôt plus travailler. Cela n'avait pas réussi, — à cause de l'autre, Jean Moan le déserteur, un frère aîné de Sylvestre dont on ne parlait plus dans la famille, mais qui existait tout de même quelque part en Amérique, enlevant à son cadet le bénéfice de l'exemption militaire. Et puis on avait objecté sa petite pension de veuve de marin; on ne l'avait pas trouvée assez pauvre.

Quand elle fut rentrée, elle dit longuement ses prières, pour tous ses défunts, fils et petits-fils; ensuite elle pria aussi, avec une confiance ardente, pour son petit Sylvestre, et essaya de s'endormir, le cœur affreusement serré de se sentir si vieille au moment de ce départ...

L'autre, la jeune fille, était restée assise près de sa

fenêtre, regardant sur le granit des murs les reflets
jaunes du couchant, et, dans le ciel, les hirondelles
noires qui tournoyaient.

« Le bonjour de ma part au fils Gaos.» Cela l'avait
5 beaucoup troublée d'écrire cette phrase, et ce nom qui,
à présent, ne voulait plus la quitter.

Elle passait souvent ses soirées à cette fenêtre,
comme une demoiselle. Son père n'aimait pas beaucoup qu'elle se promenât avec les autres filles de son
10 âge et qui, autrefois, avaient été de condition.[1] Et puis,
en sortant du café, quand il faisait les cent pas[2] en
fumant sa pipe avec d'autres anciens marins comme
lui, il était content d'apercevoir là-haut, à sa fenêtre
encadrée de granit, entre les pots de fleurs, sa fille
15 installée dans cette maison de riches.

Le fils Gaos ! Elle regardait malgré elle du côté de
la mer, qu'on ne voyait pas, mais qu'on sentait là tout
près, au bout de ces petites ruelles par où remontaient
des bateliers. Et sa pensée s'en allait dans les infinis[3]
20 de cette chose toujours attirante, qui fascine et qui
dévore ; — sa pensée s'en allait là-bas, très loin dans
les eaux polaires, où naviguait la *Marie, capitaine
Guermeur.*

*   *   *   *   *   *

Ensuite, dans sa longue rêverie, elle repassait les
25 souvenirs de son retour en Bretagne, qui était de
l'année dernière.

Un matin de décembre, après une nuit de voyage,
la voiture desservant les trains à Guingamp[4] les avait
déposés, son père et elle, à Paimpol, au petit jour

brumeux et blanchâtre, très froid, frisant encore l'obscurité.[1]

Alors, elle avait été amusée par cette réflexion qui lui était venue :

« Tiens, puisque nous sommes en hiver, je vais les voir, cette fois, les beaux pêcheurs d'Islande.»

En décembre, ils devaient être là, revenus tous, les frères, les fiancés, les amants, les cousins, dont ses amies, grandes et petites, l'entretenaient tant, à chacun de ses voyages d'été, pendant les promenades du soir.

En effet, elle les avait vus, et maintenant son cœur lui avait été pris par l'un d'eux.

La première fois qu'elle l'avait aperçu, lui ce Yann, c'était le lendemain de son arrivée, au *pardon des Islandais,*[2] qui est le 8 décembre, jour de la Notre-Dame[3] de Bonne-Nouvelle, patronne des pêcheurs, — un peu après la procession, les rues sombres encore tendues de draps blancs sur lesquels étaient piqués du lierre et du houx, des feuillages et des fleurs d'hiver.

Grand bruit dans Paimpol ; sons de cloches et chants de prêtres. Chansons rudes et monotones dans les cabarets ; vieux airs à bercer les matelots ; vieilles complaintes[4] venues de la mer, venues je ne sais d'où, de la profonde nuit des temps. Groupes de marins se donnant le bras, groupes de filles en coiffes blanches de nonnain, vieilles maisons de granit enfermant ce grouillement[5] de monde ; vieux toits racontant leurs luttes de plusieurs siècles contre les vents d'ouest, contre les embruns, les pluies, contre tout ce que lance la mer.

De toutes ces choses ensemble, Gaud recevait l'impression confuse. Sur la place, où il y avait des jeux

et des saltimbanques, elle se promenait avec ses
amies qui lui nommaient, de droite et de gauche, les
jeunes hommes de Paimpol ou de Ploubazlanec. Devant les chanteurs de complaintes, un groupe de ces
« Islandais » était arrêté, tournant le dos. Et d'abord,
frappée par l'un d'eux qui avait une taille de géant,
elle avait simplement dit, même avec une nuance de
moquerie :

« En voilà un qui est grand ! »

Lui[1] s'était retourné comme s'il l'eût entendue et il
lui avait jeté un regard rapide qui semblait dire :

« Quelle est celle-ci qui porte la coiffe de Paimpol,
et qui est si élégante, et que je n'ai jamais vue ? »

Ayant demandé sans gêne le nom d'une quantité
d'autres, elle n'avait pas osé pour celui-là.

Justement c'était ce « fils Gaos » dont elle avait
entendu parler chez les Moan comme d'un grand
ami[2] de Sylvestre ; le soir de ce même pardon, Sylvestre et lui, marchant bras dessus bras dessous, les
avaient croisés, son père et elle, et s'étaient arrêtés
pour dire bonjour.

La seconde fois qu'ils s'étaient vus, c'était à des
noces. Ce fils Gaos avait été désigné pour lui donner
le bras. D'abord elle s'était imaginé en être contra-
riée : défiler dans la rue avec ce garçon que tout le
monde regarderait à cause de sa haute taille, et qui du
reste ne saurait probablement rien lui dire en route !

A l'heure dite, tout le monde étant déjà réuni pour
le cortège, ce Yann n'avait point paru. Le temps
passait, il ne venait pas, et déjà on parlait de ne point
l'attendre. Alors elle s'était aperçue que, pour lui seul,
elle avait fait toilette ; avec n'importe quel autre de ces

jeunes hommes, la fête, le bal, seraient pour elle man-
qués et sans plaisir.

A la fin il était arrivé, en belle tenue[1] lui aussi, s'ex-
cusant sans embarras auprès des parents de la mariée.
Voilà : de grands bancs de poissons, qu'on n'attendait   5
pas du tout, avaient été signalés d'Angleterre comme
devant passer[2] le soir, un peu au large[3] d'Aurigny ;
alors tout ce qu'il y avait de bateaux dans Ploubazlanec
avait appareillé en hâte. Un émoi dans les villages,
les femmes cherchant leurs maris dans les cabarets,   10
les poussant pour les faire courir ; se démenant elles-
mêmes pour hisser les voiles, aider à la manœuvre,
enfin un vrai *branle-bas*[4] dans le pays...

Au milieu de tout ce monde qui l'entourait, il racontait avec une extrême aisance ; avec des gestes à lui,[5]   15
des roulements d'yeux, et un beau sourire qui dé-
couvrait ses dents brillantes. Lui[6] qui parlait avait
été obligé de se chercher un remplaçant bien vite et
de le faire accepter par le patron de la barque auquel
il s'était loué pour la saison d'hiver. De là venait son   20
retard, et, pour n'avoir pas voulu manquer les noces,
il allait perdre toute sa part de pêche.

Ces motifs avaient été parfaitement compris par
les pêcheurs qui l'écoutaient et personne n'avait songé
à lui en vouloir ; — on sait bien, n'est-ce pas, que, dans   25
la vie, tout est plus ou moins dépendant des choses
imprévues de la mer, plus ou moins soumis aux
changements du temps et aux migrations mystérieuses
des poissons.

Les violons commençaient dehors leur musique, et   30
gaiement on s'était mis en route.

Parmi ces couples de la noce, eux seuls étaient
des étrangers l'un pour l'autre ; ailleurs dans le cortège, ce n'était que cousins et cousines, fiancés et
fiancées.

5 Mais le soir, pendant qu'on dansait, la causerie étant
revenue entre eux deux sur ce grand passage de poissons, il lui avait dit brusquement, la regardant dans les
yeux en plein, cette chose inattendue :

« Il n'y a que vous dans Paimpol, et même dans le
10 monde, pour¹ m'avoir fait manquer cet appareillage ;
non, sûr² que pour aucune autre, je ne me serais dé-
rangé de ma pêche, mademoiselle Gaud.»

Étonnée d'abord que ce pêcheur osât lui parler
ainsi, à elle qui était venue à ce bal un peu comme
15 une reine, et puis charmée délicieusement, elle avait
fini par répondre :

« Je vous remercie, monsieur Yann ; et moi-même
je préfère être avec vous qu'avec aucun autre.»

Ç'avait été tout. Mais, à partir de ce moment
20 jusqu'à la fin des danses, ils s'étaient mis à se parler d'une façon différente, à voix plus basse et plus
douce...

On dansait à la vielle, au violon, les mêmes couples
presque toujours ensemble. Quand lui venait la re-
25 prendre, après avoir par convenance dansé avec quelque autre, ils échangeaient un sourire d'amis qui se
retrouvent et continuaient leur conversation d'avant
qui était très intime. Naïvement, Yann racontait sa
vie de pêcheur, ses fatigues, ses salaires, les difficultés
30 d'autrefois chez ses parents, quand il avait fallu élever
les quatorze petits Gaos dont il était le frère aîné. —
A présent, ils étaient tirés de la peine, surtout à cause

d'une épave[1] que leur père avait rencontrée en Manche,
et dont la vente leur avait rapporté 10,000 francs, part
faite à l'État;[2] cela avait permis de construire un premier étage au-dessus de leur maison — laquelle était
à la pointe du pays de Ploubazlanec, tout au bout des
terres, au hameau de Pors-Even, dominant la Manche,
avec une vue très belle.

C'était dur, disait-il, ce métier d'Islande : partir
comme ça dès le mois de février, pour un tel pays,
où il fait si froid et si sombre, avec une mer si mauvaise.

Toute leur conversation du bal, Gaud, qui se la rappelait comme chose d'hier, la repassait lentement dans
sa mémoire, en regardant la nuit de mai tomber sur
Paimpol.   S'il n'avait pas eu des idées de mariage,
pourquoi lui aurait-il appris tous ces détails d'existence, qu'elle avait écoutés un peu comme une fiancée?
il n'avait pourtant pas l'air d'un garçon banal aimant
à communiquer ses affaires à tout le monde.

« Le métier est assez bon tout de même,» avait-il
dit, « et pour moi je n'en changerais toujours pas.
Des années, c'est 800 francs; d'autres fois 1200, que
l'on me donne au retour et que je porte à notre mère.»

« Que vous portez à votre mère, monsieur Yann? »

« Mais oui, toujours tout. Chez nous, les Islandais,
c'est l'habitude comme ça, mademoiselle Gaud.»   (Il
disait cela comme une chose bien due et toute naturelle.)   « Ainsi moi, vous ne croiriez pas, je n'ai presque jamais d'argent. Le dimanche, c'est notre mère
qui m'en donne un peu quand je viens à Paimpol.
Pour tout[3] c'est la même chose. Ainsi cette année
notre père m'a fait faire ces habits neufs que je porte,

sans quoi je n'aurais jamais voulu venir aux noces ;
oh ! non, sûr,[1] je ne serais pas venu vous donner le
bras avec mes habits de l'an dernier.»

　　Pour elle, accoutumée à voir des Parisiens, ils
n'étaient peut-être pas très élégants, ces habits neufs
d'Yann, cette veste très courte, ouverte sur un gilet
d'une forme un peu ancienne ; mais le torse[2] qui se
moulait dessous était irréprochablement beau, et alors
le danseur avait grand air tout de même.

　　En souriant, il la regardait bien dans les yeux,
chaque fois qu'il avait dit quelque chose, pour voir ce
qu'elle en pensait.　Et comme son regard restait bon
et honnête, tandis qu'il racontait tout cela pour qu'elle
fût bien prévenue qu'il n'était pas riche !

　　Elle aussi lui souriait, en le regardant toujours bien
en face ; répondant très peu de chose, mais écoutant
avec toute son âme, toujours plus étonnée et attirée
vers lui.　Quel mélange il était, de rudesse sauvage
et d'enfantillage câlin !　Sa voix grave, qui avec d'autres était brusque et décidée, devenait, quand il lui
parlait, de plus en plus fraîche et caressante ; pour
elle seule, il savait la faire vibrer avec une extrême
douceur, comme une musique voilée[3] d'instruments à
cordes.

　　Et quelle chose singulière et inattendue, ce grand
garçon avec ses allures désinvoltes, son aspect terrible, toujours traité chez lui en petit enfant et trouvant cela naturel ; ayant couru le monde, toutes les
aventures, tous les dangers, et conservant pour ses
parents cette soumission respectueuse, absolue.

　　Elle le comparait avec d'autres, avec trois ou quatre
freluquets de Paris, commis, écrivassiers ou je ne sais

quoi, qui l'avaient poursuivie de leurs adorations, pour
son argent. Et celui-ci lui semblait être ce qu'elle
avait connu de meilleur, en même temps qu'il était le
plus beau.

Pour se mettre davantage à sa portée,[1] elle avait 5
raconté que, chez elle aussi, on ne s'était pas toujours
trouvé à l'aise comme à présent; que son père avait
commencé par être pêcheur d'Islande, et gardait beaucoup d'estime pour les Islandais; qu'elle-même se
rappelait avoir couru pieds nus, étant toute petite,— 10
sur la grève,— après la mort de sa pauvre mère.

Oh! cette nuit de bal, la nuit délicieuse décisive
et unique dans sa vie,— elle était déjà presque lointaine, puisqu'elle datait de décembre et qu'on était en
mai. Tous les beaux danseurs d'alors pêchaient à 15
présent là-bas, épars sur la mer d'Islande,— y voyant
clair,[2] au pâle soleil, dans leur solitude immense, tandis que l'obscurité se faisait tranquillement sur la terre
bretonne.

Gaud restait à sa fenêtre. La place de Paimpol, 20
presque fermée de tous côtés par des maisons antiques,
devenait de plus en plus triste avec la nuit; on n'entendait guère de bruit nulle part. Au-dessus des maisons, le vide[3] encore lumineux du ciel semblait se
creuser,[4] s'élever, se séparer davantage des choses 25
terrestres,— qui maintenant, à cette heure crépusculaire, se tenaient toutes en une seule découpure[5] noire
de pignons et de vieux toits. De temps en temps une
porte se fermait, ou une fenêtre; quelque ancien marin, à la démarche roulante, sortait d'un cabaret, s'en 30
allait par les petites rues sombres; ou bien quelques
filles attardées rentraient de la promenade avec des

bouquets de fleurs de mai.   Une, qui connaissait Gaud,
en lui disant bonsoir, leva bien haut vers elle au bout
de son bras une gerbe d'aubépine comme pour la lui
faire sentir; on voyait encore un peu dans l'obscurité
5 transparente ces légères touffes de fleurettes blanches.
Il y avait du reste une autre odeur douce qui était
montée des jardins et des cours, celle des chèvre-
feuilles fleuris sur le granit des murs, — et aussi une
vague senteur de goémon, venue du port.   Les der-
10 nières chauves-souris glissaient dans l'air d'un vol
silencieux, comme les bêtes des rêves.

Gaud avait passé bien des soirées à cette fenêtre regardant cette place mélancolique, songeant aux Islandais qui étaient partis, et toujours à ce même bal.

15 La nuit de mai était tombée depuis longtemps; les
fenêtres s'étaient toutes peu à peu fermées, avec de
petits grincements de leurs ferrures.   Gaud restait
toujours là, laissant la sienne ouverte.

…Mais, après ce bal, pourquoi n'était-il pas re-
20 venu?   Quel changement en lui?   Rencontré par hasard, il avait l'air de la fuir, en détournant ses yeux
dont les mouvements étaient toujours si rapides.

L'hiver dernier s'était passé dans cette attente de le
revoir, et il n'était même pas venu lui dire adieu avant
25 le départ d'Islande.   Maintenant qu'il n'était plus là,
rien n'existait pour elle; le temps ralenti semblait se
traîner — jusqu'à ce retour d'automne pour lequel elle
avait formé ses projets d'en avoir le cœur net[1] et d'en
finir.

30 Onze heures à l'horloge de la mairie, avec cette sonorité particulière que les cloches prennent pendant les
nuits tranquilles des printemps.

A Paimpol, onze heures, c'est très tard;[1] alors
Gaud ferma sa fenêtre et alluma sa lampe pour se
coucher.

Dans sa chaumière de Ploubazlanec, la grand'mère
Moan, qui était, elle, sur l'autre versant plus noir[2]
de la vie, avait fini par s'endormir, du sommeil glacé[3]
des vieillards, en songeant à son petit-fils et à la mort.

Et, à cette même heure, à bord de la *Marie*, sur la
mer Boréale[4] qui était ce soir-là très remuante, Yann
et Sylvestre, les deux désirés, se chantaient des chansons, tout en faisant gaiement leur pêche à la lumière
sans fin du jour.

III

* * * * * *

ENVIRON un mois plus tard. — En juin.

Autour de l'Islande, il fait cette sorte de temps rare
que les matelots appellent le *calme blanc;*[5] c'est-à-dire
que rien ne bougeait dans l'air, comme si toutes les
brises étaient épuisées, finies.

Le ciel s'était couvert d'un grand voile blanchâtre,
qui s'assombrissait par le bas, vers l'horizon, passait
aux gris plombés, aux nuances ternes de l'étain. Et
là-dessous, les eaux inertes jetaient un éclat pâle, qui
fatiguait les yeux et qui donnait froid.

Éternel soir ou éternel matin, il était impossible de
dire: un soleil qui n'indiquait plus aucune heure,
restait là toujours, pour présider à ce resplendissement
de choses mortes, agrandi jusqu'à l'immense par un
halo trouble.

Yann et Sylvestre, en pêchant à côté l'un de l'autre,
chantaient : *Jean François de Nantes*,[1] la chanson qui
ne finit plus, — s'amusant de sa monotonie même et
se regardant du coin de l'œil pour rire de l'espèce de
5 drôlerie enfantine avec laquelle ils reprenaient perpétuellement les couplets, en tâchant d'y mettre un
entrain nouveau à chaque fois. Leurs joues étaient
roses sous la grande fraîcheur salée ; cet air qu'ils
respiraient était vivifiant et vierge ;[2] ils en prenaient
10 plein leur poitrine,[3] à la source même de toute vigueur
et de toute existence.

La *Marie* projetait sur l'étendue une ombre qui était
très longue comme le soir, et qui paraissait verte, au
milieu de ces surfaces polies reflétant les blancheurs
15 du ciel ; alors, dans toute cette partie ombrée qui ne
miroitait pas, on pouvait distinguer par transparence
ce qui se passait sous l'eau : des poissons innom-
brables, des myriades et des myriades, tous pareils,
glissant doucement dans la même direction, comme
20 ayant un but dans leur perpétuel voyage. C'étaient
les morues qui exécutaient leurs évolutions d'ensemble,
toutes en long[4] dans le même sens, bien parallèles, et
sans cesse agitées d'un tremblement rapide, qui donnait un air de fluidité à cet amas de vies silencieuses.
25 Quelquefois, avec un coup de queue brusque, toutes
se retournaient en même temps, montrant le brillant
de leur ventre argenté ; et puis le même coup de queue,
le même retournement, se propageait dans le banc tout
entier par ondulations lentes, comme si des milliers de
30 lames de métal eussent jeté, entre deux eaux,[5] chacune
un petit éclair.

Le soleil, déjà très bas, s'abaissait encore ; donc

c'était le soir décidément. A mesure qu'il descendait
dans les zones couleur de plomb qui avoisinaient la
mer, il devenait jaune, et son cercle se dessinait plus
net, plus réel. On pouvait le fixer avec les yeux,
comme on fait pour la lune.   5

Il éclairait pourtant ; mais on eût dit qu'il n'était
pas du tout loin dans l'espace ; il semblait qu'en allant, avec un navire, seulement jusqu'au bout de l'horizon, on eût rencontré là ce gros ballon triste, flottant
dans l'air à quelques mètres au-dessus des eaux.   10

La pêche allait assez vite ; en regardant dans l'eau
reposée, on voyait très bien la chose se faire : les
morues venir mordre, d'un mouvement glouton ; ensuite se secouer un peu, se sentant piquées, comme
pour mieux se faire accrocher le museau. Et, de   15
minute en minute, vite, à deux mains, les pêcheurs
rentraient leur ligne, — rejetant la bête à qui[1] devait
l'éventrer et l'aplatir.

La flotille des Paimpolais était éparse sur ce miroir
tranquille, animant ce désert. Çà et là paraissaient les   20
petites voiles lointaines, déployées pour la forme[2]
puisque rien ne soufflait, et très blanches, se découpant
en clair sur les grisailles[3] des horizons.

Ce jour-là, ç'avait l'air d'un métier si calme, si
facile, celui de pêcheur d'Islande ; — un métier de   25
demoiselle.

*   *   *   *   *   *

En bas, dans la cabine, il y avait toujours du feu,
couvant[4] au fond du fourneau de fer, et le couvercle
de l'écoutille était maintenu fermé pour procurer des
illusions de nuit à ceux qui avaient besoin de sommeil.   30

Il leur fallait très peu d'air pour dormir, et les gens
moins robustes, élevés dans les villes, en eussent désiré davantage.   Mais, quand la poitrine profonde s'est
gonflée tout le jour à même l'atmosphère infinie,[1] elle
5 s'endort elle aussi, après, et ne remue presque plus ;
alors on peut se tapir dans n'importe quel petit trou
comme font les bêtes.

           *   *   *   *   *   *

Ils regardaient à présent, au fond de leur horizon
gris, quelque chose d'imperceptible.   Une petite fu-
10 mée, montant des eaux comme une queue microsco-
pique, d'un autre gris, un tout petit peu plus foncé que
celui du ciel.   Avec leurs yeux exercés à sonder les
profondeurs, ils l'avaient vite aperçue :

« Un vapeur,[2] là-bas ! »

15 « J'ai idée,»[3] dit le capitaine en regardant bien, « j'ai
idée que c'est un vapeur de l'État, — le croiseur qui
vient faire sa ronde.»

Cette vague fumée apportait aux pêcheurs des nouvelles de France et, entre autres, certaine lettre de
20 vieille grand'mère, écrite par une main de belle jeune
fille.

Il se rapprocha lentement ; bientôt on vit sa coque
noire ; — c'était bien le croiseur, qui venait faire un
tour dans ces fiords de l'ouest.

25 En même temps, une légère brise qui s'était levée,
piquante à respirer, commençait à marbrer[4] par en-
droits la surface des eaux mortes ; elle traçait sur le
luisant miroir des dessins d'un bleu vert, qui s'allon-
geaient en traînées, s'étendaient comme des éventails,
30 ou se ramifiaient en forme de madrépores ; cela se
faisait très vite avec un bruissement, c'était comme un

signe de réveil présageant la fin de cette torpeur immense. Et le ciel, débarrassé de son voile, devenait clair; les vapeurs, retombées sur l'horizon, s'y tassaient en amoncellements d'ouates[1] grises, formant comme des murailles molles autour de la mer. Le temps changeait, mais d'une façon rapide qui n'était pas bonne.

Et, de différents points de la mer, de différents côtés de l'étendue, arrivaient des navires pêcheurs : tous ceux de France qui rôdaient dans ces parages, des Bretons, des Normands, des Boulonnais[2] ou des Dunkerquois. Comme des oiseaux qui rallient à un rappel, ils se rassemblaient à la suite de ce croiseur ; il en sortait même des coins vides de l'horizon, et leurs petites ailes grisâtres apparaissaient partout. Ils peuplaient tout à fait le pâle désert.

Plus[3] de lente dérive, ils avaient tendu leurs voiles à la fraîche brise nouvelle et se donnaient de la vitesse pour s'approcher.

L'Islande, assez lointaine, était apparue aussi, avec un air de vouloir s'approcher comme eux ; elle montrait de plus en plus nettement ses grandes montagnes de pierres nues, — qui n'ont jamais été éclairées que de côté, par en dessous[4] et comme à regret. Elle se continuait même par une autre Islande de couleur semblable qui s'accentuait[5] peu à peu ; — mais qui était chimérique, celle-ci, et dont les montagnes plus gigantesques n'étaient qu'une condensation de vapeurs. Et le soleil, toujours bas et traînant, incapable de monter au-dessus des choses, se voyait à travers cette illusion d'île, tellement, qu'il paraissait posé devant et que c'était pour les yeux un aspect incompréhensible.

Il n'avait plus de halo, et son disque rond ayant repris
des contours très accusés,[1] il semblait plutôt quelque
pauvre planète jaune, mourante, qui se serait arrêtée
là indécise, au milieu d'un chaos.

5   Le croiseur, qui avait stoppé,[2] était entouré maintenant de la pléiade[3] des Islandais.   De tous ces navires
se détachaient des barques, en coquille de noix,[4] lui
amenant à bord des hommes rudes aux longues barbes,
dans des accoutrements assez sauvages.

10   Ils avaient tous quelque chose à demander, un peu
comme les enfants, des remèdes pour de petites bles-
sures, des réparations, des vivres, des lettres.

D'autres venaient de la part de leurs capitaines se
faire mettre aux fers, pour quelque mutinerie à ex-
15 pier ; ayant tous été au service de l'État, ils trouvaient
la chose bien naturelle.   Et quand le faux-pont[5] étroit
du croiseur fut encombré par quatre ou cinq de ces
grands garçons étendus la boucle[6] au pied, le vieux
maître qui les avait cadenassés, leur dit : « Couche-toi
20 de travers, donc, mes fils,[7] qu'on puisse passer,» ce
qu'ils firent docilement, avec un sourire.

Il y avait beaucoup de lettres cette fois, pour ces
Islandais.   Entre autres, deux pour la *Marie, capitaine
Guermeur,* l'une à *monsieur Gaos,*[8] *Yann,* la seconde
25 à *monsieur Moan, Sylvestre* (celle-ci arrivée par[9] le
Danemarck à Reickawick, où le croiseur l'avait prise).

Le vaguemestre,[10] puisant dans son sac en toile à
voile, leur faisait la distribution, ayant quelque peine
souvent à lire les adresses qui n'étaient pas toutes
30 mises par des mains très habiles.

Yann et Sylvestre avaient l'habitude de lire leurs
lettres ensemble.

Cette fois, ce fut au soleil de minuit, qui les éclairait
du haut de l'horizon toujours avec son même aspect
d'astre mort.   5

Assis tous deux à l'écart, dans un coin du pont, les
bras enlacés et se tenant par les épaules, ils lisaient
très lentement, comme pour se mieux pénétrer des
choses du pays qui leur étaient dites.

Dans la lettre d'Yann, Sylvestre trouva des nou-   10
velles de Marie Gaos, sa petite fiancée ; dans celle de
Sylvestre, Yann lut les histoires drôles de la vieille
grand'mère Yvonne, qui n'avait pas sa pareille pour
amuser les absents ; et puis le dernier alinéa qui le
concernait : « Le bonjour de ma part au fils Gaos. » 15

Et, les lettres finies de lire, Sylvestre timidement
montrait la sienne à son grand ami, pour essayer de
lui faire apprécier la main qui l'avait tracée :

« Regarde, c'est une très jolie écriture, n'est-ce pas,
Yann ? »   20

Mais Yann, qui savait très bien quelle était cette
main de jeune fille, détourna la tête en secouant ses
épaules, comme pour dire qu'on l'ennuyait à la fin
avec cette Gaud.

Alors Sylvestre replia soigneusement le pauvre petit 25
papier dédaigné, le remit dans son enveloppe et le serra
dans son tricot contre sa poitrine, se disant tout triste :

« Bien sûr, ils ne se marieront jamais. Mais qu'est-
ce qu'il peut avoir comme ça contre elle ? »

Minuit sonné à la cloche du croiseur. Et ils res- 30
taient toujours là, assis, songeant au pays, aux absents,
à mille choses, dans un rêve.

A ce moment, l'éternel soleil, qui avait un peu trempé son bord dans les eaux, recommença à monter lentement.

Et ce fut le matin.

IV

*   *   *   *   *   *

5 C'était en Bretagne, après la mi-septembre, par une journée déjà fraîche. Gaud cheminait toute seule sur la lande de Ploubazlanec, dans la direction de Pors-Even.

Depuis près d'un mois, les navires islandais étaient
10 rentrés, — moins deux qui avaient disparu dans un grand coup de vent au mois de juin. Mais la *Marie* ayant tenu bon, Yann et tous ceux du bord étaient au pays, tranquillement.

Gaud se sentait très troublée, à l'idée qu'elle se
15 rendait chez ce Yann.

Une seule fois elle l'avait vu depuis le retour d'Islande; c'était quand on était allé, tous ensemble, conduire[1] le pauvre petit Sylvestre, à son départ pour le service. (On l'avait accompagné jusqu'à la diligence,
20 lui, pleurant un peu, sa vieille grand'mère pleurant beaucoup, et il était parti pour rejoindre le quartier[2] de Brest.) Yann, qui était venu aussi pour embrasser son petit ami, avait fait mine de détourner les yeux quand elle l'avait regardé, et, comme il y avait beau-
25 coup de monde autour de cette voiture, — d'autres inscrits[3] qui s'en allaient, des parents assemblés pour leur dire adieu, — il n'y avait pas eu moyen de se parler.

Alors elle avait pris à la fin une grande résolution, et, un peu craintive, s'en allait chez les Gaos.

Son père avait eu jadis des intérêts communs avec celui d'Yann (de ces affaires compliquées qui, entre pêcheurs comme entre paysans, n'en finissent plus[1]) et lui redevait une centaine de francs pour la vente d'une barque qui venait de se faire *à la part*.[2]

« Vous devriez,» avait-elle dit, « me laisser lui porter cet argent, mon père; d'abord je serais contente de voir Marie Gaos; puis je ne suis jamais allée si loin en Ploubazlanec, et cela m'amuserait de faire cette grande course.»

Au fond, elle avait une curiosité anxieuse de cette famille d'Yann, où elle entrerait peut-être un jour, de cette maison, de ce village.

Dans une dernière causerie, Sylvestre, avant de partir, lui avait expliqué à sa manière la sauvagerie[3] de son ami:

« Vois-tu,[4] Gaud, c'est parce qu'il est comme cela; il ne veut se marier avec personne, par idée à lui; il n'aime bien que la mer, et même, un jour, par plaisanterie, il nous a dit lui avoir promis le mariage.»

Elle lui pardonnait donc ses manières d'être, et, retrouvant toujours dans sa mémoire son beau sourire franc de la nuit du bal, elle se reprenait[5] à espérer.

Si elle le rencontrait là, au logis, elle ne lui dirait rien, bien sûr; son intention n'était point de se montrer si osée. Mais lui,[6] la revoyant de près, parlerait peut-être.

Elle marchait depuis une heure, alerte, agitée, respirant la brise saine du large.

Il y avait de grands calvaires[1] plantés aux carrefours des chemins.

De loin en loin,[2] elle traversait de ces petits hameaux
de marins qui sont toute l'année battus par le vent, et
5 dont la couleur est celle des rochers. Dans l'un, où
le sentier se rétrécissait tout à coup entre des murs
sombres, entre de hauts toits en chaume pointus comme
des huttes celtiques, une enseigne de cabaret la fit
sourire : « Au cidre chinois,»[3] et on avait peint deux
10 magots[4] en robe vert et rose,[5] avec des queues,[6] buvant
du cidre. Sans doute une fantaisie de quelque ancien
matelot revenu de là-bas.[7] En passant, elle regardait
tout ; les gens qui sont très préoccupés par le but de
leur voyage s'amusent toujours plus que les autres
15 aux mille détails de la route.

Le petit village était loin derrière elle maintenant,
et, à mesure qu'elle s'avançait sur ce dernier promontoire de la terre bretonne, les arbres se faisaient plus
rares autour d'elle, la campagne plus triste.

20 A un carrefour, gardé par un christ[8] énorme, elle
hésita entre deux chemins qui fuyaient[9] entre des
talus d'épines.

Une petite fille qui arrivait se trouva à point pour
la tirer d'embarras :

25 « Bonjour, mademoiselle Gaud ! »

C'était une petite Gaos, une petite sœur d'Yann.
Après l'avoir embrassée, elle lui demanda si ses parents
étaient à la maison.

« Papa et maman, oui. Il n'y a que mon frère
30 Yann,» dit la petite sans aucune malice, « qui est
allé à Loguivy ;[10] mais je pense qu'il ne sera pas tard
dehors.»

Il n'était pas là, lui! Encore ce mauvais sort qui l'éloignait d'elle partout et toujours. Remettre sa visite à une autre fois, elle y pensa bien. Mais cette petite qui l'avait vue en route, qui pourrait parler. Que penserait-on de cela à Pors-Even? Alors elle 5 décida de poursuivre, en musant le plus possible afin de lui donner le temps de rentrer.

A mesure qu'elle approchait de ce village d'Yann, de cette pointe perdue, les choses devenaient toujours plus rudes et plus désolées. Ce grand air de mer 10 qui faisait les hommes plus forts, faisait aussi les plantes plus basses, courtes, trapues, aplaties sur le sol dur. Dans ce sentier, il y avait des goémons qui traînaient par terre, feuillages *d'ailleurs* indiquant qu'un autre monde était voisin. Ils répandaient dans 15 l'air leur odeur saline.

Ce Yann, que faisait-il à Loguivy? Il courtisait les filles peut-être.

Ah! si elle avait su comme il s'en souciait peu, des belles. Non, tout simplement, il était allé faire une 20 commande à certain vannier de ce village, qui avait seul dans le pays la bonne manière pour tresser les *casiers*[1] à prendre les homards. Sa tête était très libre d'amour en ce moment.

Elle arriva à une chapelle, qu'on apercevait de loin 25 sur une hauteur. C'était une chapelle toute grise, très petite et très vieille; au milieu de l'aridité d'alentour, un bouquet d'arbres, gris aussi et déjà sans feuilles, lui faisait des cheveux,[2] des cheveux jetés tous du même côté, comme par une main qu'on y aurait 30 passée.

Et cette main était celle aussi qui fait sombrer les

barques des pêcheurs, main éternelle des vents d'ouest
qui couche, dans le sens des lames et de la houle, les
branches tordues des rivages. Ils avaient poussé de
travers et échevelés, les vieux arbres, courbant le dos
5 sous l'effort séculaire de cette main-là.

Gaud se trouvait presque au bout de sa course,
puisque c'était la chapelle de Pors-Even; alors elle s'y
arrêta, pour gagner encore du temps.

Un petit mur croulant dessinait autour un enclos
10 enfermant des croix. Et tout était de la même couleur, la chapelle, les arbres et les tombes; le lieu tout
entier semblait uniformément hâlé, rongé par le vent
de la mer; un même lichen grisâtre, avec ses taches
d'un jaune pâle de soufre, couvrait les pierres, les
15 branches noueuses, et les saints en granit qui se
tenaient dans les niches du mur.

Sur une de ces croix de bois, un nom était écrit
en grosses lettres: *Gaos. — Gaos, Joël, quatre-vingts
ans.*

20 Ah! oui, le grand-père; elle savait cela. La mer
n'en avait pas voulu, de ce vieux marin. Du reste,
plusieurs des parents d'Yann devaient dormir dans cet
enclos, c'était naturel, et elle aurait dû s'y attendre;
pourtant ce nom lu sur cette tombe lui faisait une
25 impression pénible.

Afin de perdre un moment de plus, elle entra dire
une prière sous ce porche antique, tout petit, usé,
badigeonné de chaux blanche. Mais là elle s'arrêta,
avec un plus fort serrement de cœur.

30 *Gaos!* encore ce nom, gravé sur une des plaques
funéraires comme on en met pour garder le souvenir
de ceux qui meurent au large.

Elle se mit à lire cette inscription:

En mémoire de
GAOS, JEAN-LOUIS,
âgé de 24 ans, matelot à bord de la *Marguerite*,
disparu en Islande, le 3 août 1877.   5
Qu'il repose en paix!

L'Islande, — toujours l'Islande! — Partout, à cette
entrée de chapelle, étaient clouées d'autres plaques de
bois, avec des noms de marins morts. C'était le coin
des naufragés de Pors-Even, et elle regretta d'y être 10
venue, prise d'un pressentiment noir. A Paimpol, dans
l'église, elle avait vu des inscriptions pareilles; mais
ici, dans ce village, il était plus petit, plus fruste, plus
sauvage, le tombeau vide des pêcheurs islandais.

Gaos! encore!   15

En mémoire de
GAOS, FRANÇOIS,
époux de Anne-Marie LE GOASTER,
capitaine à bord du *Paimpolais*,
perdu en Islande du 1er au 3 avril 1877,   20
avec vingt-trois hommes composant son équipage.
Qu'ils reposent en paix!

Gaos! partout ce nom!

Un autre Gaos s'appelait Yves, *enlevé du bord de
son navire et disparu aux environs de Norden-Fiord,* 25
en Islande, à l'âge de vingt-deux ans. La plaque semblait être là depuis de longues années; il devait être
bien oublié, celui-là...

En lisant, il lui venait pour ce Yann des élans de
tendresse douce, et un peu désespérée aussi. Jamais, 30
non, jamais il ne serait à elle! Comment le disputer

à la mer, quand tant d'autres Gaos y avaient sombré,
des ancêtres, des frères, qui devaient avoir avec lui
des ressemblances profondes.

Le soir approchait; il fallait pourtant bien se décider
5 à faire sa visite et s'acquitter de sa commission.

Elle reprit sa route et, après s'être informée dans
le village, elle trouva la maison des Gaos, qui était
adossée à une haute falaise; on y montait par une
douzaine de marches en granit. Tremblant un peu
10 à l'idée que Yann pouvait être revenu, elle traversa
le jardinet où poussaient des chrysanthèmes et des
véroniques.

En entrant, elle dit qu'elle apportait l'argent de cette
barque vendue, et on la fit asseoir très poliment pour
15 attendre le retour du père, qui lui signerait son reçu.
Parmi tout ce monde qui était là, ses yeux cherchèrent
Yann, mais elle ne le vit point.

On était fort occupé dans la maison. Sur une
grande table bien blanche, on taillait déjà, dans du
20 coton neuf, des costumes appelés *cirages*,[1] pour la prochaine saison d'Islande.

« C'est que, voyez-vous, mademoiselle Gaud, il leur
en faut à chacun deux rechanges complets pour là-
bas.»[2]

25 On lui expliqua comment on s'y prenait après pour
les peindre et les cirer, ces tenues de misère.[3] Et,
pendant qu'on lui détaillait la chose, ses yeux par-
couraient attentivement ce logis des Gaos.

Il était aménagé[4] à la manière traditionnelle des
30 chaumières bretonnes; une immense cheminée en occupait le fond, et des lits en armoire[5] s'étageaient sur les
côtés. Mais cela n'avait pas l'obscurité ni la mélan-

colie de ces gîtes des laboureurs, qui sont toujours à
demi enfouis au bord des chemins; c'était clair et
propre, comme en général chez les gens de mer.

Plusieurs petits Gaos étaient là, garçons ou filles,
tous frères d'Yann, sans compter deux grands qui na- 5
viguaient.   Et, en plus, une bien petite blonde, triste
et proprette, qui ne ressemblait pas aux autres.

«Une que nous avons adoptée l'an dernier,» expliqua la mère; «nous en avions déjà beaucoup pourtant; mais, que voulez-vous, mademoiselle Gaud! son 10
père était de la *Maria-Dieu-t'aime,* qui s'est perdue en
Islande à la saison dernière, comme vous savez; alors,
entre voisins, on s'est partagé les cinq enfants qui restaient et celle-ci nous est échue.»

Entendant qu'on parlait d'elle, la petite adoptée 15
baissait la tête et souriait en se cachant contre le petit
Laumec Gaos qui était son préféré.

Il y avait un air d'aisance partout dans la maison,
et la fraîche santé se voyait, épanouie sur toutes ces
joues roses d'enfants. 20

On mettait beaucoup d'empressement à recevoir
Gaud — comme une belle demoiselle dont la visite
était un honneur pour la famille. Par un escalier de
bois blanc tout neuf, on la fit monter dans la chambre
d'en haut qui était la gloire du logis. Elle se rappelait 25
bien l'histoire de la construction de cet étage; c'était
à la suite d'une trouvaille de bateau abandonné faite
en Manche par le père Gaos et son cousin le pilote;
la nuit du bal, Yann lui avait raconté cela.

Cette chambre de l'épave[1] était jolie et gaie dans sa 30
blancheur toute neuve; il y avait deux lits à la mode
des villes, avec des rideaux en perse rose; une grande

table au milieu. Par la fenêtre, on voyait tout Paimpol, toute la rade, avec les *Islandais* là-bas, au mouillage, — et la passe par où ils s'en vont.

Elle n'osait pas questionner, mais elle aurait bien
5 voulu savoir où dormait Yann ; évidemment, tout enfant, il avait dû habiter en bas, dans quelqu'un de ces
antiques lits en armoire. Mais, à présent, c'était peut-
être ici, entre ces beaux rideaux roses. Elle aurait
aimé être au courant des détails de sa vie, savoir sur-
10 tout à quoi se passaient ses longues soirées d'hiver.

Un pas un peu lourd dans l'escalier la fit tressaillir.

Non, ce n'était pas Yann, mais un homme qui lui
ressemblait malgré ses cheveux déjà blancs, qui avait
15 presque sa haute stature et qui était droit comme lui :
le père Gaos rentrant de la pêche.

Après l'avoir saluée et s'être enquis des motifs de
sa visite, il lui signa son reçu, ce qui fut un peu long,
car sa main n'était plus, disait-il, très assurée. Ce-
20 pendant il n'acceptait pas ces cent francs comme un
payement définitif, le désintéressant de cette vente[1]
de barque ; non, mais comme un acompte seulement ;
il en recauserait avec M. Mével. Et Gaud, à qui
l'argent importait peu, fit un petit sourire impercep-
25 tible : allons, bon, cette histoire n'était pas encore finie,
elle s'en était bien doutée ; d'ailleurs, cela l'arrangeait[2]
d'avoir encore des affaires mêlées avec les Gaos.

On s'excusait presque, dans la maison, de l'absence
d'Yann, comme si on eût trouvé plus honnête que
30 toute la famille fût là assemblée pour la recevoir.
Le père avait peut-être même deviné, avec sa finesse
de vieux matelot, que son fils n'était pas indifférent

à cette belle héritière ; car il mettait un peu d'insistance à toujours reparler de lui :

« C'est bien étonnant,» disait-il, « il n'est jamais si
tard dehors. Il est allé à Loguivy, mademoiselle Gaud,
acheter des casiers pour prendre les homards ; comme 5
vous savez, c'est notre grande pêche de l'hiver.»

Elle, distraite, prolongeait sa visite, ayant cependant
conscience[1] que c'était trop, et sentant un serrement
de cœur lui venir à l'idée qu'elle ne le verrait pas.

« Un homme sage[2] comme lui, qu'est-ce qu'il peut 10
bien faire ? Au cabaret, il n'y est pas, bien sûr ; nous
n'avons pas cela à craindre avec notre fils. Je ne dis
pas,[3] une fois de temps en temps, le dimanche, avec
des camarades... Vous savez, mademoiselle Gaud, les
marins... Eh ! mon Dieu, quand on est jeune homme, 15
n'est-ce pas, pourquoi s'en priver tout à fait ? Mais
la chose est bien rare avec lui, c'est un homme sage,
nous pouvons le dire.»

Cependant la nuit venait ; on avait replié les *cirages*
commencés, suspendu le travail. Les petits Gaos et 20
la petite adoptée, assis sur des bancs, se serraient les
uns aux autres, attristés par l'heure grise du soir, et
regardaient Gaud, ayant l'air de se demander :

« A présent, pourquoi ne s'en va-t-elle pas ? »

Et, dans la cheminée, la flamme commençait à éclai- 25
rer rouge, au milieu du crépuscule qui tombait.

« Vous devriez rester manger la soupe[4] avec nous,
mademoiselle Gaud.»

Oh ! non, elle ne le pouvait pas ; le sang lui monta
tout à coup au visage à la pensée d'être restée si tard. 30
Elle se leva et prit congé.

Le père d'Yann s'était levé lui aussi pour l'accom-

pagner un bout de chemin, jusqu'au delà de certain
bas-fond isolé[1] où de vieux arbres font un passage
noir.

Pendant qu'ils marchaient près l'un de l'autre,[2] elle
5 se sentait prise pour lui de respect et de tendresse;
elle avait envie de lui parler comme à un père, dans
des élans qui lui venaient; puis les mots s'arrêtaient
dans sa gorge, et elle ne disait rien.

A la croix de Plouëzoc'h, elle salua le vieillard, le
10 priant de retourner. Les lumières de Paimpol se
voyaient déjà, et il n'y avait plus aucune raison d'avoir
peur.

Allons, c'était fini pour cette fois. Et qui sait à
présent quand elle verrait Yann.

15 Pour retourner à Pors-Even, les prétextes ne lui
auraient pas manqué, mais elle aurait eu trop mauvais
air en recommençant cette visite. Il fallait être plus
courageuse et plus fière. Si seulement Sylvestre, son
petit confident, eût été là encore, elle l'aurait chargé
20 peut-être d'aller trouver Yann de sa part, afin de le
faire s'expliquer.[3] Mais il était parti, et pour combien d'années?...

V

Depuis quinze jours, Sylvestre était au quartier de
Brest; — très dépaysé, mais très sage; portant crâne-
25 ment son col bleu ouvert et son bonnet à pompon
rouge; superbe en matelot, avec son allure roulante
et sa haute taille; dans le fond,[4] regrettant toujours
sa bonne vieille grand'mère et la vie d'autrefois.

Un seul soir il s'était grisé, avec des *pays*,[1] parce
que c'est l'usage : ils étaient rentrés au quartier, toute
une bande se donnant le bras, en chantant à tue-tête.

Un dimanche aussi, il était allé au théâtre, dans les
galeries hautes. On jouait un de ces grands drames
où les matelots, s'exaspérant contre le traître, l'accueil-
lent avec un *hou!* qu'ils poussent tous ensemble et qui
fait un bruit profond comme le vent d'ouest. Il avait
surtout trouvé qu'il y faisait très chaud, qu'on y manquait d'air et de place ; une tentative pour enlever son
paletot lui avait valu une réprimande de l'officier de
service.[2] Et il s'était endormi sur la fin.

Il se conduisait à Brest comme en Islande, comme
au large, il restait enfant.[3] Mais les autres ne se
moquaient pas de lui, parce qu'il était très fort, ce qui
inspire le respect aux marins.

Un jour on l'appela au bureau de sa compagnie :
on avait à lui annoncer qu'il était désigné pour la
Chine, pour l'escadre de Formose![4]

Il se doutait depuis longtemps que ça arriverait,
ayant entendu dire à ceux[5] qui lisaient les journaux
que, par là-bas, la guerre n'en finissait plus. A cause
de l'urgence du départ, on le prévenait en même temps
qu'on ne pourrait pas lui donner la permission ac-
cordée d'ordinaire, pour les adieux, à ceux qui vont
en campagne : dans cinq jours, il faudrait faire son
sac[6] et s'en aller.

Il lui vint un trouble extrême : c'était le charme des
grands voyages, de l'inconnu, de la guerre : c'était
aussi l'angoisse de tout quitter, avec l'inquiétude
vague de ne plus revenir.

Mille choses tourbillonnaient dans sa tête. Un

grand bruit se faisait autour de lui, dans les salles
du quartier, où quantité d'autres venaient d'être dé-
signés aussi pour cette escadre de Chine.

Et vite il écrivit à sa pauvre vieille grand'mère,
5 vite, au crayon, assis par terre, isolé dans une
rêverie agitée, au milieu du va-et-vient et de la
clameur de tous ces jeunes hommes qui, comme lui,
allaient partir.

*   *   *   *   *   *

« Elle est un peu ancienne, son amoureuse ! » di-
10 saient les autres, deux jours après, en riant derrière
lui ; « c'est égal, ils ont l'air de bien s'entendre tout
de même.»

Ils s'amusaient de le voir se promener dans les rues
avec une femme au bras, se penchant vers elle d'un
15 air tendre, lui disant des choses qui avaient l'air tout
à fait douces.

Une petite personne à la tournure assez alerte, vue
de dos ; — des jupes un peu courtes, par exemple, pour
la mode du jour ; un petit châle brun, et une grande
20 coiffe de Paimpolaise.

Elle aussi, suspendue à son bras, se retournait vers
lui pour le regarder avec tendresse.

« Elle est un peu ancienne, l'amoureuse ! »

Ils disaient cela, les autres, sans grande malice,
25 voyant bien que c'était une bonne vieille grand'mère,
venue de la campagne.

Venue en hâte, prise d'une épouvante affreuse à
la nouvelle du départ de son petit-fils : — car cette
guerre de Chine avait déjà coûté beaucoup de marins
30 au pays de Paimpol.

Ayant réuni toutes ses pauvres petites économies, arrangé dans un carton sa belle robe[1] des dimanches et une coiffe de rechange, elle était partie pour l'embrasser au moins encore une fois.

Tout droit elle avait été[2] le demander à la caserne, 5 et d'abord l'adjudant de sa compagnie avait refusé de le laisser sortir.

« Si vous voulez réclamer, allez, ma bonne dame, allez vous adresser au capitaine, le voilà qui passe.»

Et carrément, elle y était allée. Celui-ci s'était laissé 10 toucher.

« Envoyez Moan *se changer*,»[3] avait-il dit.

Et Moan, quatre à quatre,[4] était monté se mettre en toilette de ville, — tandis que la bonne vieille, pour l'amuser, comme toujours, faisait par derrière 15 à cet adjudant une fine grimace impayable, avec une révérence.

Ensuite, quand il reparut, le petit-fils bien décolleté dans sa tenue de sortie, elle avait été émerveillée de le trouver si beau : sa barbe noire, qu'un coiffeur lui 20 avait taillée, était en pointe à la mode des marins cette année-là ; les liettes[5] de sa chemise ouverte étaient frisées menu,[6] et son bonnet avait de longs rubans qui flottaient terminés par des ancres d'or.

Un instant elle s'était imaginé voir son fils 25 Pierre qui, vingt ans auparavant, avait été lui aussi[7] gabier de la flotte, et le souvenir de ce long passé déjà enfui derrière elle, de tous ces morts, avait jeté furtivement sur l'heure présente une ombre triste.   30

Tristesse vite effacée. Ils étaient sortis bras dessus bras dessous, dans la joie d'être ensemble ; — et c'est

alors que, la prenant pour son amoureuse, on l'avait
jugée « un peu ancienne.»

Elle l'avait emmené dîner, en partie fine,[1] dans une
auberge tenue par des Paimpolais, qu'on lui avait
5 recommandée comme n'étant pas trop chère. Ensuite,
se donnant le bras toujours, ils étaient allés dans
Brest, regarder les étalages des boutiques. Et rien
n'était si amusant que tout ce qu'elle trouvait à dire
pour faire rire son petit-fils, — en breton[2] de Paim-
10 pol que les passants ne pouvaient pas comprendre.

Elle était restée trois jours avec lui, trois jours de
fête sur lesquels pesait un *après* bien sombre, autant
dire[3] trois jours de grâce.

Et enfin il avait bien fallu repartir, s'en retourner
15 à Ploubazlanec. C'est que d'abord elle était au boũt
de son pauvre argent. Et puis Sylvestre embarquait
le surlendemain, et les matelots sont toujours con-
signés inexorablement dans les quartiers, la veille des
grands départs[4] (un usage qui semble à première
20 vue un peu barbare, mais qui est une précaution
nécessaire contre les *bordées*[5] qu'ils ont tendance à
courir au moment de se mettre en campagne).

Oh! ce dernier jour! Elle avait eu beau[6] faire,
beau chercher dans sa tête pour dire encore des choses
25 drôles à son petit-fils, elle n'avait rien trouvé, non,
mais c'étaient les larmes qui avaient envie de venir,
les sanglots qui, à chaque instant, lui montaient à la
gorge. Suspendue à son bras, elle lui faisait mille
recommandations qui, à lui aussi, donnaient l'envie
30 de pleurer. Et ils avaient fini par entrer dans une
église pour dire ensemble leurs prières.

C'est par le train du soir qu'elle s'en était allée.

Pour économiser, ils s'étaient rendus à pied à la gare ;
lui, portant son carton de voyage et la soutenant de
son bras fort sur lequel elle s'appuyait de tout son
poids. Elle était fatiguée, fatiguée, la pauvre vieille ;
elle n'en pouvait plus, de[1] s'être tant surmenée pendant 5
trois ou quatre jours. Le dos tout courbé sous son
châle brun, ne trouvant plus la force de se redresser,
elle n'avait plus rien de jeunet[2] dans la tournure
et sentait bien toute l'accablante lourdeur de ses
soixante-seize ans. A l'idée que c'était fini, que dans 10
quelques minutes il faudrait le quitter, son cœur se
déchirait d'une manière affreuse. Et c'était en Chine
qu'il s'en allait, là-bas, à la tuerie ! Elle l'avait encore
là, avec elle ; elle le tenait encore de ses deux pauvres
mains... et cependant il partirait ; ni toute sa volonté, 15
ni toutes ses larmes, ni tout son désespoir de grand'-
mère ne pourraient rien pour le garder !

Embarrassée de son billet, de son panier de provisions, de ses mitaines, agitée, tremblante, elle lui faisait
ses recommandations dernières auxquelles il répondait 20
tout bas par de petits *oui* bien soumis, la tête penchée
tendrement vers elle, la regardant avec ses bons yeux
doux, son air de petit enfant.

« Allons, la vieille, il faut vous décider si vous
voulez partir ! »   25

La machine sifflait. Prise de la frayeur de manquer le train, elle lui enleva des mains son carton ; —
puis laissa retomber la chose à terre, pour se pendre
à son cou dans un embrassement suprême.

On les regardait beaucoup dans cette gare, mais ils 30
ne donnaient plus envie de sourire à personne. Pous-
sée par les employés, épuisée, perdue,[3] elle se jeta dans

le premier compartiment venu, dont on lui referma
brusquement la portière sur les talons, tandis que lui[1]
prenait sa course légère de matelot, décrivait une
courbe d'oiseau qui s'envole, afin de faire le tour et
5 d'arriver à la barrière,[2] dehors, à temps pour la voir
passer.

Un grand coup de sifflet, l'ébranlement bruyant des
roues, — la grand'mère passa. — Lui, contre cette barrière, agitait avec une grâce juvénile son bonnet à
10 rubans flottants, et elle, penchée à la fenêtre de son
wagon de troisième,[3] faisait signe avec son mouchoir
pour être mieux reconnue. Si longtemps qu'elle put,
si longtemps qu'elle distingua cette forme bleu-noir
qui était encore son petit-fils, elle le suivit des yeux,
15 lui jetant de toute son âme cet « au revoir » toujours incertain que l'on dit aux marins quand ils s'en
vont.

Regarde-le bien, pauvre vieille femme, ce petit Sylvestre ; jusqu'à la dernière minute, suis bien sa sil-
20 houette fuyante, qui s'efface là-bas pour jamais.

Et, quand elle ne le vit plus, elle retomba assise,
sans souci de froisser sa belle coiffe, pleurant à sanglots, dans une angoisse de mort.

Lui, s'en retournait lentement, tête baissée, avec de
25 grosses larmes descendant sur ses joues. La nuit
d'automne était venue, le gaz allumé partout, la fête
des matelots commencée. Sans prendre garde à rien,
il traversa Brest, puis le pont de Recouvrance, se
rendant au quartier.

*   *   *   *   *   *

30   ...Il avait pris le large, emporté très vite sur des

mers inconnues, beaucoup plus bleues que celle de
l'Islande.

Le navire qui le conduisait en extrême Asie avait
ordre de se hâter, de brûler les relâches.[1]

Déjà il avait conscience d'être bien loin, à cause
de cette vitesse qui était incessante, égale, qui allait
toujours, presque sans souci du vent ni de la mer.
Étant gabier, il vivait dans sa mâture, perché comme
un oiseau, évitant ces soldats entassés sur le pont,
cette cohue d'en bas.

On s'était arrêté deux fois sur la côte de Tunis,
pour prendre encore des zouaves et des mulets; de
très loin il avait aperçu des villes blanches sur des
sables ou des montagnes. Il était même descendu de
sa hune pour regarder curieusement des hommes très
bruns, drapés de voiles blancs, qui étaient venus dans
des barques pour vendre des fruits: les autres lui
avaient dit que c'était ça, les Bédouins.

Cette chaleur et ce soleil, qui persistaient toujours,
malgré la saison d'automne, lui donnaient l'impression
d'un dépaysement extrême.[2]

Un jour, on était arrivé à une ville appelée Port-
Saïd.[3] Tous les pavillons d'Europe flottaient dessus
au bout de longues hampes, lui donnant un air de
Babel en fête, et des sables miroitants l'entouraient
comme une mer. On avait mouillé là à toucher les
quais, presque au milieu des longues rues à maisons
de bois. Jamais, depuis le départ, il n'avait vu si
clair et de si près le monde du dehors, et cela l'avait
distrait, cette agitation, cette profusion de bateaux.

Avec un bruit continuel de sifflets et de sirènes-à-
vapeur,[4] tous ces navires s'engouffraient dans une

sorte de long canal, étroit comme un fossé, qui fuyait[1]
en ligne argentée dans l'infini de ces sables. Du haut
de sa hune, il les voyait s'en aller comme en procession
pour se perdre dans les plaines.

5   Sur ces quais circulaient toute espèce de costumes ;
des hommes en robes de toutes les couleurs, affairés,
criant, dans le grand coup de feu[2] du transit. Et le
soir, aux sifflets diaboliques des machines, étaient
venus se mêler les tapages confus de plusieurs orches-
10 tres, jouant des choses bruyantes, comme pour endormir les regrets déchirants de tous les exilés qui
passaient.

Le lendemain, dès le soleil levé, ils étaient entrés
eux aussi[3] dans l'étroit ruban d'eau entre les sables,
15 suivis d'une queue de bateaux de tous les pays. Cela
avait duré deux jours, cette promenade à la file dans
le désert ; puis une autre mer s'était ouverte devant
eux, et ils avaient repris le large.

On marchait à toute vitesse toujours ; cette mer
20 plus chaude avait à sa surface des marbrures[4] rouges
et quelquefois l'écume battue du sillage avait la couleur du sang. Il vivait presque tout le temps dans sa
hune, se chantant tout bas à lui-même *Jean-François
de Nantes,* pour se rappeler son frère Yann, l'Islande,
25 le bon temps passé.

Quelquefois, dans le fond des lointains[5] pleins de
mirages, il voyait apparaître quelque montagne de
nuance extraordinaire. Ceux qui menaient le navire
connaissaient sans doute, malgré l'éloignement et le
30 vague, ces caps avancés des continents qui sont comme
des points de repère[6] éternels sur les grands chemins
du monde. Mais, quand on est gabier, on navigue

emporté comme une chose, sans rien savoir, ignorant les distances et les mesures sur l'étendue qui ne finit pas.

Lui, n'avait que la notion d'un éloignement effroyable qui augmentait toujours; mais il en avait la notion très nette, en regardant de haut ce sillage, bruissant, rapide, qui fuyait derrière; en comptant depuis combien durait cette vitesse qui ne se ralentissait ni jour ni nuit.

En bas, sur le pont, la foule, les hommes entassés à l'ombre des tentes, haletaient avec accablement. L'eau, l'air, la lumière avaient pris une splendeur morne, écrasante; et la fête éternelle de ces choses était comme une ironie pour les êtres, pour les existences organisées qui sont éphémères.

Une fois, dans sa hune, il fut très amusé par des nuées de petits oiseaux, d'espèce inconnue, qui vinrent se jeter sur le navire comme des tourbillons de poussière noire. Ils se laissaient prendre et caresser, n'en pouvant plus. Tous les gabiers en avaient sur leurs épaules.

Mais bientôt, les plus fatigués commencèrent à mourir.

Ils mouraient par milliers, sur les vergues, sur les sabords, ces tout petits, au soleil terrible de la mer Rouge.

Ils étaient venus de par delà les grands déserts, poussés par un vent de tempête. Par peur de tomber dans cet infini bleu qui était partout, ils s'étaient abattus d'un dernier vol épuisé, sur ce bateau qui passait. Là-bas, au fond de quelque région lointaine de la Libye,[1] leur race avait pullulé sans mesure, et il y

en avait eu trop ; alors la mère aveugle et sans âme,
la mère nature, avait chassé d'un souffle cet excès
de petits oiseaux, avec la même impassibilité que s'il
se fût agi d'une génération d'hommes.

5 Et ils mouraient tous sur ces ferrures chaudes du
navire ; le pont était jonché de leurs petits corps qui
hier palpitaient de vie. Petites loques noires, aux
plumes mouillées, Sylvestre et les gabiers les ramas-
saient, étendant dans leurs mains, d'un air de com-
10 misération, ces fines ailes bleuâtres, — et puis les
poussaient au grand néant de la mer, à coups de
balai.

Ensuite passèrent des sauterelles, filles de celles de
Moïse,[1] et le navire en fut couvert.

15 Puis on navigua encore plusieurs jours dans du
bleu inaltérable où on ne voyait plus rien de vivant,
— si ce n'est des poissons quelquefois, qui volaient
au ras[2] de l'eau.

*   *   *   *   *   *

De la pluie à torrents, sous un ciel lourd et tout
20 noir ; — c'était l'Inde. Sylvestre venait de mettre le
pied sur cette terre-là, le hasard l'ayant fait choisir
à bord pour compléter l'*armement*[3] d'une baleinière.

A travers l'épaisseur des feuillages, il recevait l'ondée tiède, et regardait autour de lui les choses étranges.
25 Tout était magnifiquement vert ; les feuilles des arbres
étaient faites comme des plumes gigantesques, et les
gens qui se promenaient avaient de grands yeux ve-
loutés qui semblaient se fermer sous le poids de leurs
cils. Le vent qui poussait cette pluie sentait le musc
30 et les fleurs.

Un petit coup de sifflet de marine, modulé en trilles d'oiseau, le rappela brusquement dans sa baleinière, qui allait repartir.

Il prit sa course, — et adieu l'Inde.

Après une nouvelle semaine de mer bleue, on s'arrêta dans un autre pays de pluie et de verdure. Une nuée de bonshommes[1] jaunes, qui poussaient des cris, envahit tout de suite le bord, apportant du charbon dans des paniers.

« Alors, nous sommes donc déjà en Chine ? » demanda Sylvestre, voyant qu'ils avaient tous des figures de magot[2] et des queues.

On lui dit que non ; encore un peu de patience : ce n'était que Singapour.[3] Il remonta dans sa hune, pour éviter la poussière noirâtre que le vent promenait, tandis que le charbon des milliers de petits paniers s'entassait fièvreusement dans les soutes.

Enfin on arriva un jour dans un pays appelé Tourane,[4] où se trouvait au mouillage une certaine *Circé* tenant un blocus. C'était le bateau auquel il se savait depuis longtemps destiné, et on l'y déposa avec son sac.

Il y retrouva des *pays,*[5] même deux *Islandais* qui, pour le moment, étaient canonniers.

Le soir, par ces temps toujours chauds et tranquilles où il n'y avait rien à faire, ils se réunissaient sur le pont, isolés des autres, pour former ensemble une petite Bretagne de souvenir.

Il dut passer cinq mois d'inaction et d'exil dans cette baie triste, avant le moment désiré d'aller se battre.

VI

*   *   *   *   *   *

PAIMPOL, — le dernier jour de février, — veille du
départ des pêcheurs pour l'Islande.

Gaud se tenait debout contre la porte de sa chambre,
immobile et devenue très pâle.

5   C'est que Yann était en bas, à causer avec son père.
Elle l'avait vu venir, et elle entendait vaguement
résonner sa voix.

Ils ne s'étaient pas rencontrés de tout l'hiver, comme
si une fatalité les eût toujours éloignés l'un de l'autre.

10   Depuis quelques jours, elle avait prévu cette visite
d'Yann, se doutant bien que, pour cette affaire de
vente de barque non encore[1] réglée, le père Gaos, qui
n'aimait pas venir à Paimpol, enverrait son fils. Alors
elle s'était promis qu'elle irait à lui, ce que les filles ne
15 font, pas d'ordinaire, qu'elle lui parlerait pour en avoir
le cœur net.[2] Et alors, peut-être reparaîtrait son beau
sourire, qui arrangerait tout.

De loin, tout paraît toujours si facile, si simple à
dire et à faire.

20   Et, précisément, cette visite d'Yann tombait à une
heure choisie : elle était sûre que son père, en ce moment assis à fumer, ne se dérangerait pas pour le reconduire ; donc, dans le corridor où il n'y aurait personne, elle pourrait avoir enfin son explication avec lui.

25   Mais voici qu'à présent, le moment venu, cette hardiesse lui semblait extrême. L'idée seulement de le
rencontrer, de le voir face à face au pied de ces

marches la faisait trembler. Son cœur battait à se
rompre....Et dire que, d'un moment à l'autre, cette
porte en bas allait s'ouvrir, — avec le petit bruit grin-
çant qu'elle connaissait bien, — pour lui donner passage!   5

Non, décidément, elle n'oserait jamais; plutôt se
consumer d'attente et mourir de chagrin, que tenter
une chose pareille. Et déjà elle avait fait quelques
pas pour retourner au fond de sa chambre, s'asseoir
et travailler.   10

Mais elle s'arrêta encore, hésitante, effarée, se rappelant que c'était demain le départ pour l'Islande, et
que cette occasion de le voir était unique. Il faudrait
donc, si elle la manquait, recommencer des mois de
solitude et d'attente, languir après son retour, perdre 15
encore tout un été de sa vie.

En bas, la porte s'ouvrit: Yann sortait! Brusquement résolue, elle descendit en courant l'escalier, et
arriva tremblante, se planter devant lui.

« Monsieur Yann, je voudrais vous parler, s'il vous 20
plaît.»

« A moi! mademoiselle Gaud?» dit-il en baissant
la voix, portant la main à son chapeau.

Il la regardait d'un air sauvage, avec ses yeux vifs,
la tête rejetée en arrière, l'expression dure, ayant 25
même l'air de se demander si seulement il s'ar-
rêterait. Un pied en avant, prêt à fuir, il pla-
quait ses larges épaules à la muraille, comme pour
être moins près d'elle dans ce couloir étroit où il
se voyait pris.   30

Glacée, alors, elle ne retrouvait plus rien de ce
qu'elle avait préparé pour lui dire: elle n'avait pas

prévu qu'il pourrait lui faire cet affront-là, de passer
sans l'avoir écoutée....

« Est-ce que notre maison vous fait peur, monsieur
Yann? » demanda-t-elle d'un ton sec et bizarre, qui
5 n'était pas celui qu'elle voulait avoir.

Lui, détournait les yeux regardant dehors.

« Non, mademoiselle Gaud,» répondit-il à la fin.
« Mais déjà j'en ai entendu dans le pays, qui parlaient
sur nous. Non, mademoiselle Gaud. Vous êtes riche,
10 nous ne sommes pas des gens de la même classe. Je
ne suis pas un garçon à venir chez vous, moi.»

Et il s'en alla. Ainsi tout était fini, fini à jamais.

Elle restait d'abord clouée sur place, voyant les
choses remuer autour d'elle, avec du vertige....

15 Et puis une idée, plus intolérable que toutes, lui
vint comme un éclair: des camarades d'Yann, des
Islandais, faisaient les cent[1] pas sur la place, l'attendant! s'il allait leur raconter cela, s'amuser d'elle,
comme ce serait un affront encore plus odieux! Elle
20 remonta vite dans sa chambre, pour les observer à
travers ses rideaux.

Devant la maison, elle vit en effet le groupe de ces
hommes. Mais ils regardaient tout simplement le
temps, qui devenait de plus en plus sombre, et fai-
25 saient des conjectures sur la grande pluie menaçante,
disant:

« Ce n'est qu'un grain; entrons boire, tandis que
ça passera.»

Ils étaient gais tous, excepté lui qui ne répondait
30 pas, ne souriait pas, mais demeurait grave et triste.
Il n'entra point boire avec les autres et, sans plus
prendre garde à eux ni à la pluie commencée, mar-

chant lentement sous l'averse comme quelqu'un ab-
sorbé par une rêverie, il traversa la place, dans la
direction de Ploubazlanec....

Alors elle lui pardonna tout, et un sentiment de
tendresse sans espoir prit la place de l'amer dépit 5
qui lui était d'abord monté au cœur.

VII

* * * * * *

On distribuait un courrier[1] de France, là-bas, à
bord de la *Circé,* en rade d'Ha-Long,[2] à l'autre bout
de la terre. Au milieu d'un groupe serré de matelots, le vaguemestre[3] appelait à haute voix les noms 10
des heureux qui avaient des lettres. Cela se passait
le soir, dans la batterie, en se bousculant autour d'un
fanal.

« Moan, Sylvestre ! » — Il y en avait une pour lui,
une qui était bien timbrée de Paimpol, — mais ce 15
n'était pas l'écriture de Gaud. — Qu'est-ce que cela
voulait dire ? Et de qui venait-elle ?

L'ayant tournée et retournée, il l'ouvrit craintivement.

« Ploubazlanec, ce 5 mars 1874. 20

« Mon cher petit-fils,»

* * * * * *

C'était bien de sa bonne vieille grand'mère ; alors
il respira mieux. Elle avait même apposé au bas sa
grosse signature apprise par cœur, toute tremblée et
écolière :[4] « Veuve Moan.»
25
Veuve Moan. Il porta le papier à ses lèvres, d'un

mouvement irréfléchi, et embrassa ce pauvre nom
comme une sainte amulette. C'est que cette lettre
arrivait à une heure suprême de sa vie :[1] demain
matin, dès le jour, il partait pour aller au feu.[2]

5   On était au milieu d'avril ; Bac-Ninh[3] et Hong
Hoa venaient d'être pris. Aucune grande opération
n'était prochaine dans ce Tonkin, — pourtant les ren-
forts qui arrivaient ne suffisaient pas, — alors on
prenait à bord des navires tout ce qu'ils pouvaient
10 encore donner pour compléter les compagnies de marins déjà débarquées. Et Sylvestre, qui avait langui
longtemps dans les croisières et les blocus, venait
d'être désigné avec quelques autres pour combler des
vides dans ces compagnies-là.

15   En ce moment, il est vrai, on parlait de paix ; mais
quelque chose leur disait tout de même qu'ils débar-
queraient encore à temps pour se battre un peu. Ayant
arrangé leurs sacs, terminé leurs préparatifs, et fait
leurs adieux, ils s'étaient promenés toute la soirée au
20 milieu des autres qui restaient, se sentant grandis et
fiers auprès de[4] ceux-là ; chacun à sa manière mani-
festait ses impressions de départ, les uns graves, un
peu recueillis ;[5] les autres se répandant en exubé-
rantes paroles.

25   Sylvestre, lui, était assez silencieux et concentrait
en lui-même son impatience d'attente : seulement quand
on le regardait, son petit sourire contenu disait bien :[6]
« Oui, j'en suis[7] en effet, et c'est pour demain matin. »
La guerre, le feu, il ne s'en faisait encore qu'une idée
30 incomplète ; mais cela le fascinait pourtant, parce
qu'il était de vaillante race.

   Inquiet de Gaud, à cause de cette écriture étrangère,

il cherchait à s'approcher d'un fanal pour pouvoir bien lire. Et c'était difficile au milieu de ces groupes d'hommes demi-nus, qui se pressaient là, pour lire aussi, dans la chaleur irrespirable de cette batterie.

Dès le début de sa lettre, comme il l'avait prévu, la grand'mère Yvonne expliquait pourquoi elle avait été obligée de recourir à la main peu experte d'une vieille voisine :

« Mon cher enfant, je ne te fais pas écrire cette fois par ta cousine, parce qu'elle est bien dans la peine. Son père a été pris de mort subite, il y a deux jours. Et il paraît que toute sa fortune a été mangée, à de mauvais jeux [1] d'argent qu'il avait faits cet hiver dans Paris. On va donc vendre sa maison et ses meubles. C'est une chose à laquelle personne ne s'attendait dans le pays. Je pense, mon cher enfant, que cela va te faire comme à moi beaucoup de peine.

« Le fils Gaos te dit bien le bonjour ; il a renouvelé engagement avec le capitaine Guermeur, toujours sur la *Marie*, et le départ pour l'Islande a eu lieu d'assez bonne heure cette année. Ils ont appareillé le 1er du courant, l'avant-veille du grand malheur arrivé à notre pauvre Gaud, et ils n'en ont pas eu connaissance encore.

« Mais tu dois bien penser,[2] mon cher fils, qu'à présent c'est fini, nous ne les marierons pas ;[3] car ainsi elle va être obligée de travailler pour gagner son pain.»

Il resta atterré ; ces mauvaises nouvelles lui avaient gâté toute sa joie d'aller se battre.

*   *   *   *   *   *

Dans l'air, une balle qui siffle ! Sylvestre s'arrête court, dressant l'oreille.

C'est sur une plaine infinie, d'un vert tendre et velouté de printemps. Le ciel est gris, pesant aux épaules.[4]

Ils sont là six matelots armés, en reconnaissance

au milieu des fraîches rizières, dans un sentier de
boue...

Encore! ce même bruit dans le silence de l'air!—
Bruit aigre et ronflant, espèce de *dzinn*[1] prolongé,
5 donnant bien l'impression de la petite chose méchante
et dure qui passe là tout droit, très vite, et dont la
rencontre peut être mortelle.

Pour la première fois de sa vie, Sylvestre écoute
cette musique-là. Ces balles qui vous arrivent sonnent
10 autrement que celles que l'on tire soi-même : le coup
de feu, parti de loin, est atténué, on ne l'entend plus ;
alors on distingue mieux ce petit bourdonnement de
métal, qui file en traînée rapide, frôlant vos oreilles.

Et *dzinn* encore, et *dzinn!* Il en pleut maintenant,
15 des balles. Tout près des marins, arrêtés net, elles
s'enfoncent dans le sol inondé de la rizière, chacune
avec un petit *flac*[2] de grêle, sec et rapide, et un léger
éclaboussement d'eau.

Eux[3] se regardent, en souriant comme d'une farce
20 drôlement jouée, et ils disent :

« Les Chinois! » (Annamites, Tonkinois, Pavillons-Noirs,[4] pour les matelots, tout cela c'est de la
même famille chinoise.)

Et comment rendre ce qu'ils mettent de dédain, de
25 vieille rancune moqueuse, d'entrain pour se battre,
dans cette manière de les annoncer : « Les Chinois! »

Deux ou trois balles sifflent encore, plus rasantes,[5]
celles-ci : on les voit ricocher, comme des sauterelles
dans l'herbe. Cela n'a pas duré une minute, ce petit
30 arrosage de plomb, et déjà cela cesse. Sur la grande
plaine verte le silence absolu revient, et nulle part on
n'aperçoit rien qui bouge.

Ils sont tous les six encore debout, l'œil au guet,
prenant le vent, ils cherchent d'où cela a pu venir.

De là-bas, sûrement, de ce bouquet de bambous,
qui fait dans la plaine comme un îlot de plumes, et
derrière lesquels apparaissent, à demi cachées, des 5
toitures cornues.[1] Alors ils y courent; dans la terre
détrempée[2] de la rizière, leurs pieds s'enfoncent ou
glissent; Sylvestre, avec ses jambes plus longues et
plus agiles, est celui qui court devant.

Rien ne siffle plus; on dirait qu'ils ont rêvé. 10

Et comme, dans tous les pays du monde, certaines
choses sont toujours et éternellement les mêmes, — le
gris des ciels[3] couverts, la teinte fraîche des prairies
au printemps, — on croirait voir les champs de France,
avec des jeunes hommes courant là gaiement, pour 15
tout autre jeu que celui de la mort.

Mais, à mesure qu'ils s'approchent, ces bambous
montrent mieux la finesse exotique de leur feuillée,[4]
ces toits de village accentuent l'étrangeté de leur courbure, et des hommes jaunes, embusqués derrière, avan- 20
cent, pour regarder, leurs figures plates contractées
par la malice et la peur... Puis brusquement, ils
sortent en jetant un cri, et se déploient en une longue
ligne tremblante, mais décidée et dangereuse.

« Les Chinois! » disent encore les matelots, avec 25
leur même brave sourire.

Mais c'est égal,[5] ils trouvent cette fois qu'il y en a
beaucoup, qu'il y en a trop. Et l'un d'eux, en se
retournant, en aperçoit d'autres, qui arrivent par derrière, émergeant d'entre les herbages... 30

   *   *   *   *   *   *

Il fut très beau, dans cet instant, dans cette journée,

le petit Sylvestre; sa vieille grand'mère eût été fière
de le voir si guerrier!

Déjà transfiguré depuis quelques jours, bronzé, la
voix changée, il était là comme dans un élément à
5 lui. A une minute d'indécision suprême, les matelots,
éraflés par les balles, avaient presque commencé ce
mouvement de recul qui eût été leur mort à tous;
mais Sylvestre avait continué d'avancer; ayant pris
son fusil par le canon, il tenait tête à[1] tout un groupe,
10 fauchant de droite et de gauche, à grands coups de
crosse qui assommaient. Et, grâce à lui, la partie[2]
avait changé de tournure: cette panique, cet affolement, ce je ne sais quoi, qui décide aveuglément de
tout, dans ces petites batailles non dirigées, était passé
15 du côté des Chinois; c'étaient eux qui avaient commencé à reculer.

C'était fini maintenant, ils fuyaient. Et les six matelots, ayant rechargé leurs armes à tir rapide, les abat-
taient à leur aise; il y avait des flaques rouges dans
20 l'herbe, des corps effondrés, des crânes versant leur
cervelle dans l'eau de la rivière.

Ils fuyaient tout courbés, rasant le sol,[3] s'aplatis-
sant comme des léopards. Et Sylvestre courait après,
déjà blessé deux fois, un coup de lance à la cuisse,
25 une entaille profonde dans le bras; mais ne sentant
rien que l'ivresse de se battre, cette ivresse non raisonnée[4] qui vient du sang vigoureux, celle qui donne
aux simples le courage superbe, celle qui faisait les
héros antiques.

30 Un, qu'il poursuivait, se retourna pour le mettre
en joue,[5] dans une inspiration de terreur désespérée.
Sylvestre s'arrêta, souriant, méprisant, sublime, pour

lui laisser décharger son arme, puis se jeta un peu sur
la gauche, voyant la direction du coup qui allait partir. Mais, dans le mouvement de détente, le canon de
ce fusil dévia par hasard dans le même sens. Alors,
lui, sentit une commotion[1] à la poitrine, et, comprenant 5
bien ce que c'était, par un éclair de pensée, même avant
toute douleur, il détourna la tête vers les autres marins
qui suivaient, pour essayer de leur dire, comme un
vieux soldat, la phrase consacrée :[2] « Je crois que j'ai
mon compte ! »[3] Dans la grande aspiration qu'il fit, 10
venant de courir, pour prendre, avec sa bouche, de
l'air plein ses poumons,[4] il en sentit entrer aussi, par
un trou à son sein droit, avec un petit bruit horrible,
comme dans un soufflet crevé. En même temps, sa
bouche s'emplit de sang, tandis qu'il lui venait au 15
côté une douleur aiguë, qui s'exaspérait vite, vite,
jusqu'à être quelque chose d'atroce et d'indicible.

Il tourna sur lui-même deux ou trois fois, la tête
perdue de vertige et cherchant à reprendre son souffle
au milieu de tout ce liquide rouge dont la montée 20
l'étouffait, — et puis, lourdement, dans la boue, il
s'abattit.

VIII

*   *   *   *   *   *

Un jour de la première quinzaine de juin, comme
la vieille Yvonne rentrait chez elle, des voisines lui
dirent qu'on était venu la demander de la part du 25
commissaire de l'inscription maritime.[5]

C'était quelque chose concernant son petit-fils, bien

sûr ; mais cela ne lui fit pas du tout peur. Dans
les familles des *gens de mer,* on a souvent affaire *à
l'Inscription;* elle donc, qui était fille, femme, mère et
grand'mère de marin, connaissait ce bureau depuis
5 tantôt soixante ans.

C'était au sujet de sa délégation,¹ sans doute ; ou
peut-être un petit décompte² de la *Circé* à toucher au
moyen de sa *procure.*³ Sachant ce qu'on doit à M.
le commissaire, elle fit sa toilette, prit sa belle robe
10 et une coiffe blanche,⁴ puis se mit en route sur les
deux heures.

Trottinant assez vite et menu⁵ dans ces sentiers
de falaise, elle s'acheminait vers Paimpol, un peu
anxieuse tout de même, à la réflexion, à cause de
15 ces deux mois sans lettres.

Le gai temps de juin souriait partout autour d'elle.
Sur les hauteurs pierreuses, il n'y avait toujours que
les ajoncs ras⁶ aux fleurs jaune d'or ; mais, dès qu'on
passait dans les bas-fonds abrités contre l'âpre vent
20 de mer, on trouvait tout de suite la belle verdure
neuve, les haies d'aubépine fleurie, l'herbe haute et
sentant bon. Elle ne voyait guère tout cela, elle, si
vieille, sur qui s'étaient accumulées les saisons fugi-
tives, courtes à présent comme des jours...

25 Autour des hameaux croulants aux murs sombres,
il y avait des rosiers, des œillets, des giroflées et,
jusque sur les hautes toitures de chaume et de mousse,
mille petites fleurs qui attiraient les premiers papil-
lons blancs.

30 Et tout cela, qui est sans âme, continuait de sourire à cette vieille grand'mère, qui marchait de son
meilleur pas pour aller apprendre la mort de son der-

nier petit-fils. Elle touchait à l'heure terrible où cette
chose, qui s'était passée si loin, allait lui être dite.

En approchant de Paimpol, elle se sentait devenir
plus inquiète, et pressait encore sa marche.

La voilà dans la ville grise, dans les petites rues de 5
granit[1] où tombait ce soleil, donnant le bonjour à
d'autres vieilles, ses contemporaines, assises à leur
fenêtre. Intriguées de la voir, elles disaient:

« Où va-t-elle comme ça si vite, en robe du dimanche, un jour sur semaine? »[2]   10

M. le commissaire de l'inscription ne se trouvait pas
chez lui. Un petit être très laid, d'une quinzaine
d'années, qui était son commis, se tenait assis à son
bureau. Étant trop mal venu[3] pour faire un pêcheur,
il avait reçu de l'instruction et passait ses jours sur 15
cette même chaise, en fausses manches noires, grat-
tant son papier.

Avec un air d'importance, quand elle lui eut dit son
nom, il se leva pour prendre, dans un casier, des
pièces[4] timbrées.   20

Il y en avait beaucoup...qu'est-ce que cela voulait
dire? Des certificats, des papiers portant des cachets,
un livret de marin[5] jauni par la mer, tout cela ayant
comme une odeur de mort.

Il les étalait devant la pauvre vieille, qui commençait 25
à trembler et à voir trouble. C'est qu'elle avait
reconnu deux de ces lettres que Gaud écrivait pour
elle à son petit-fils, et qui étaient revenues là, non
décachetées. Et ça s'était passé ainsi vingt ans auparavant, pour la mort de son fils Pierre: les lettres 30
étaient revenues de la Chine chez M. le commissaire,
qui les lui avait remises.

Il lisait maintenant, d'une voix doctorale:[1] « Moan, Jean-Marie-Sylvestre, inscrit à Paimpol, folio 213, numéro matricule 2091, décédé le 14.»

« Quoi? Qu'est-ce qui lui est arrivé, mon bon Mon-
5 sieur? »

« Décédé! Il est décédé,» reprit-il.

Mon Dieu, il n'était sans doute pas méchant, ce commis; s'il disait cela de cette manière brutale, c'était plutôt manque de jugement, inintelligence de petit
10 être incomplet.[2] Et, voyant qu'elle ne comprenait pas ce beau mot, il s'exprima en breton:

« *Marw éo!* »

« *Marw éo!* » (Il est mort!)

Elle répéta après lui, avec son chevrotement de
15 vieillesse,[3] comme un pauvre écho fêlé redirait une phrase indifférente.[4]

C'était bien ce qu'elle avait à moitié deviné, mais cela la faisait trembler seulement: à présent que c'était certain, ça n'avait plus l'air de la toucher. D'abord
20 sa faculté de souffrir s'était vraiment un peu émous-sée, à force d'âge, surtout depuis ce dernier hiver. La douleur ne venait plus tout de suite. Et puis quelque chose se chavirait[5] pour le moment dans sa tête, et voilà qu'elle confondait cette mort avec d'au-
25 tres: elle en avait tant perdu, de fils! Il lui fallut un instant pour bien entendre que celui-ci était son dernier, si chéri, celui à qui se rapportaient toutes ses prières, toute sa vie, toute son attente, toutes ses pensées, déjà obscurcies par l'approche sombre de
30 *l'enfance.*

Elle éprouvait une honte aussi à laisser paraître son désespoir devant ce petit monsieur qui lui faisait horreur : est-ce que c'était comme ça qu'on annonçait à une grand'mère la mort de son petit-fils ! Elle restait debout, devant ce bureau, raidie, torturant les franges de son châle brun avec ses pauvres vieilles mains gercées de laveuse.

Et comme elle se sentait loin de chez elle !... Mon Dieu, tout ce trajet qu'il faudrait faire, et faire décemment, avant d'atteindre le gîte de chaume où elle avait hâte de s'enfermer — comme les bêtes blessées qui se cachent au terrier pour mourir. C'est pour cela aussi qu'elle s'efforçait de ne pas trop penser, de ne pas encore trop bien comprendre, épouvantée surtout d'une route si longue.

On lui remit un mandat[1] pour aller toucher, comme héritière, les trente francs qui lui revenaient de la vente du sac de Sylvestre ; puis les lettres, les certificats et la boîte contenant la médaille militaire.[2] Gauchement elle prit tout cela, avec ses doigts qui restaient ouverts, le promena d'une main dans l'autre, ne trouvant plus ses poches pour le mettre.

Dans Paimpol, elle passa tout d'une pièce[3] et ne regardant personne, le corps un peu penché comme qui va tomber, entendant un bourdonnement de sang à ses oreilles ; — et se hâtant, se surmenant, comme une pauvre machine déjà très ancienne qu'on aurait remontée à toute vitesse pour la dernière fois, sans s'inquiéter d'en briser les ressorts.

Au troisième kilomètre, elle allait toute courbée en avant, épuisée ; de temps à autre, son sabot heurtait quelque pierre qui lui donnait dans la tête un grand choc douloureux. Et elle se dépêchait de se terrer chez elle, de peur de tomber et d'être rapportée...

Gaud, qui venait pour s'informer, la trouva le soir ainsi, toute décoiffée, laissant pendre les bras, la tête contre la pierre,[1] avec une grimace et un *hi hi hi!* plaintif de petit enfant ; elle ne pouvait presque pas
5 pleurer : les trop vieilles grand'mères n'ont plus de larmes dans leurs yeux taris.

« Mon petit-fils qui est mort ! »

Et elle lui jeta sur les genoux les lettres, les papiers, la médaille.

10 Gaud parcourut d'un coup d'œil, vit que c'était bien vrai, et se mit à genoux pour prier.

Elles restèrent là ensemble, presque muettes, les deux femmes, tant que dura ce crépuscule de juin — qui est très long en Bretagne et qui là-bas, en
15 Islande, ne finit plus. Dans la cheminée, le grillon qui porte bonheur leur faisait tout de même sa grêle musique. Et la lueur jaune du soir entrait par la lucarne, dans cette chaumière des Moan que la mer avait tous pris, qui étaient maintenant une famille
20 éteinte.

A la fin, Gaud disait :

« Je viendrai, moi, ma bonne grand'mère, demeurer avec vous ; j'apporterai mon lit qu'on m'a laissé, je vous garderai, je vous soignerai, vous ne serez pas
25 toute seule.»

Elle pleurait son petit ami Sylvestre, mais dans son chagrin elle se sentait distraite involontairement par la pensée d'un autre : — celui qui était reparti pour la grande pêche.

30 Ce Yann, on allait lui faire savoir que Sylvestre était mort ; justement les *chasseurs*[2] devaient bientôt partir. Le pleurerait-il seulement?... Peut-être que

oui, car il l'aimait bien… Et au milieu de ses propres
larmes, elle se préoccupait de cela beaucoup, tantôt
s'indignant contre ce garçon dur, tantôt s'attendris-
sant à son souvenir, à cause de cette douleur qu'il allait
avoir lui aussi et qui était comme un rapprochement[1] 5
entre eux deux.

IX

Un soir pâle d'août, la lettre qui annonçait à Yann
la mort de son frère finit par arriver à bord de la
Marie sur la mer d'Islande; — c'était après une journée de dure manœuvre et de fatigue excessive, au 10
moment où il allait descendre pour souper et dormir.
Les yeux alourdis de sommeil, il lut cela en bas, dans
le réduit sombre, à la lueur jaune de la petite lampe;
et, dans le premier moment, lui aussi resta insensible,
étourdi, comme quelqu'un qui ne comprendrait pas 15
bien. Très renfermé, par fierté, pour tout ce qui concernait son cœur, il cacha la lettre dans son tricot bleu,
contre sa poitrine, comme les matelots font, sans rien
dire.

Seulement il ne se sentait plus le courage de s'as- 20
seoir avec les autres pour manger la soupe; alors,
dédaignant même de leur expliquer pourquoi, il se
jeta sur sa couchette et, du même coup, s'endormit.

Bientôt il rêva de Sylvestre mort, de son enterrement qui passait. 25

Aux approches de minuit, — étant dans cet état
d'esprit particulier aux marins qui ont conscience de
l'heure dans le sommeil et qui sentent venir le mo-

ment où on les fera lever pour le quart,[1] — il voyait
cet enterrement encore. Et il se disait :

« Je rêve ; heureusement ils vont me réveiller mieux
et ça s'évanouira.»

5   Mais quand une rude main fut posée sur lui, et
qu'une voix se mit à dire : « Gaos ! — allons debout,
la *relève!* »[2] il entendit sur sa poitrine un léger froissement de papier — petite musique sinistre affirmant la
réalité de la mort. — Ah! oui, la lettre! c'était vrai,
10 donc! et déjà ce fut une impression plus poignante,
plus cruelle, et, en se dressant vite, dans son réveil
subit, il heurta contre les poutres son front large.

Puis il s'habilla et ouvrit l'écoutille pour aller là-
haut prendre son poste de pêche.

15 Cette nuit-là, quand Yann fut monté, il regarda tout
autour de lui, avec ses yeux qui venaient de dormir,
le grand cercle familier de la mer.

Il sentait venir une tristesse profonde qui lui gla-
çait l'âme ; beaucoup mieux que tout à l'heure, il com-
20 prenait maintenant que son pauvre petit frère ne reparaîtrait jamais, jamais plus ; le chagrin, qui avait été
long à percer l'enveloppe robuste et dure de son cœur,
y entrait à présent jusqu'à pleins bords.[3] Il revoyait
la figure douce de Sylvestre, ses bons yeux d'enfant ;
25 quelque chose comme un voile tombait tout à coup
entre ses paupières, malgré lui, — et d'abord il ne
s'expliquait pas bien ce que c'était, n'ayant jamais
pleuré dans sa vie d'homme. — Mais les larmes commençaient à couler lourdes, rapides, sur ses joues ; et
30 puis des sanglots vinrent soulever sa poitrine profonde.

Il continuait de pêcher très vite, sans perdre son

temps ni rien dire, et les deux autres, qui l'écoutaient
dans ce silence, se gardaient d'avoir l'air d'entendre,
de peur de l'irriter, le sachant si renfermé et si fier.

Dans son idée à lui, la mort finissait tout.

Dans leurs causeries entre marins, ils disaient tous
cela, d'une manière brève et assurée, comme une chose
bien connue de chacun ; ce qui pourtant n'empêchait
pas une vague appréhension des fantômes, une vague
frayeur des cimetières, une confiance extrême dans
les saints et les images qui protègent, ni surtout une
vénération innée pour la terre bénite qui entoure les
églises.

Ainsi Yann redoutait pour lui-même d'être pris par
la mer, comme si cela anéantissait davantage, — et la
pensée que Sylvestre était resté là-bas, dans cette terre
lointaine d'en dessous,[1] rendait son chagrin plus désespéré, plus sombre.

Avec son dédain des autres, il pleura sans aucune
contrainte ni honte, comme s'il eût été seul.

Au dehors, le vide[2] blanchissait lentement, bien qu'il
fût à peine deux heures ; et en même temps il paraissait s'étendre, devenir plus démesuré, plus effrayant.

Sous l'horizon, la grande lampe blanche, c'était le
soleil, qui se traînait sans force, avant de faire au-
dessus des eaux sa promenade lente et froide, commencée dès l'extrême matin...

Ce jour-là, on ne voyait nulle part des tons roses
d'aurore, tout restait blême et triste. Et, à bord de la
Marie, un homme pleurait, le grand Yann.

Ces larmes de son frère sauvage, et cette plus
grande mélancolie du dehors, c'était l'appareil de
deuil déployé pour le pauvre petit héros obscur, sur

ces mers d'Islande où il avait passé la moitié de sa vie.

Quand le plein jour vint, Yann essuya brusquement ses yeux avec la manche de son tricot de laine et ne
5 pleura plus. Ce fut fini. Il semblait complètement repris par le travail de la pêche, par le train monotone des choses réelles et présentes, comme ne pensant plus à rien.

Du reste, les lignes donnaient beaucoup et les bras
10 avaient peine à suffire.[1]

Autour des pêcheurs, c'était un nouveau changement à vue. Le grand déploiement d'infini, le grand spectacle du matin était terminé, et maintenant les lointains paraissaient au contraire se rétrécir, se refer-
15 mer sur eux. Comment donc avait-on cru voir tout à l'heure la mer si démesurée? L'horizon était à présent tout près, et il semblait même qu'on manquât d'espace.

C'était la première brume d'août qui se levait. En
20 quelques minutes le suaire fut uniformément dense, impénétrable; autour de la *Marie,* on ne distinguait plus rien qu'une pâleur humide où se diffusait la lumière et où la mâture du navire semblait même se perdre.

25 « De ce coup,[2] la voilà arrivée, la sale brume,» dirent les hommes.

Ils connaissaient depuis longtemps cette inévitable compagne de la seconde période de pêche; mais aussi cela annonçait la fin de la saison d'Islande, l'époque
30 où l'on fait route pour revenir en Bretagne.

En fines gouttelettes brillantes, cela se déposait sur leur barbe; cela faisait luire d'humidité leur peau

brunie. Ceux qui se regardaient d'un bout à l'autre
du bateau se voyaient trouble comme des fantômes ;
par contre, les objets très rapprochés apparaissaient
plus crûment sous cette lumière fade et blanchâtre.
On prenait garde de respirer[1] la bouche ouverte ; 5
une sensation de froid et de mouillé pénétrait les
poitrines.

En même temps, la pêche allait de plus en plus vite,
et on ne causait plus, tant les lignes donnaient ; à
tout instant, on entendait tomber à bord de gros pois- 10
sons, lancés sur les planches avec un bruit de fouet ;
après, ils se trémoussaient[2] rageusement en claquant
de la queue contre le bois du pont ; tout était écla-
boussé de l'eau de mer et des fines écailles argen-
tées qu'ils jetaient en se débattant. 15

Ils restèrent, cette fois, dix jours d'affilée[3] pris dans
la brume épaisse, sans rien voir. La pêche continuait d'être bonne et, avec tant d'activité, on ne s'ennuyait pas. De temps en temps, à intervalles régu-
liers, l'un d'eux soufflait dans une trompe de corne 20
d'où sortait un bruit pareil au beuglement d'une bête
sauvage.

Quelquefois, du dehors, du fond des brumes blanches, un autre beuglement lointain répondait à leur
appel. Alors on veillait davantage. Si le cri se rap- 25
prochait, toutes les oreilles se tendaient vers ce voisin
inconnu, qu'on n'apercevrait sans doute jamais et dont
la présence était pourtant un danger. On faisait des
conjectures sur lui ; il devenait une occupation, une
société et, par envie de le voir, les yeux s'efforçaient 30
à percer les impalpables mousselines[4] blanches qui restaient tendues partout dans l'air.

Puis il s'éloignait, les beuglements de sa trompe
mouraient dans le lointain sourd;[1] alors on se retrouvait seul dans le silence, au milieu de cet infini de
vapeurs immobiles. Tout était imprégné d'eau; tout
5 était ruisselant de sel et de saumure. Le froid devenait plus pénétrant; le soleil s'attardait davantage à
traîner sous l'horizon; il y avait déjà de vraies nuits
d'une ou deux heures, dont la tombée grise était sinistre et glaciale.

10   Chaque matin on sondait avec un plomb la hauteur
des eaux, de peur que la *Marie* ne se fût trop rapprochée de l'île d'Islande. Mais toutes les *lignes* du
bord filées[2] bout à bout n'arrivaient pas à toucher
le lit de la mer: on était donc bien au large, et en belle
15 eau profonde.

La vie était saine et rude; ce froid plus piquant
augmentait le bien-être du soir, l'impression de gîte
bien chaud qu'on éprouvait dans la cabine en chêne
massif, quand on y descendait pour souper ou pour
20 dormir.

Dans le jour, ces hommes, qui étaient plus cloîtrés
que des moines, causaient peu entre eux. Chacun,
tenant sa ligne, restait pendant des heures et des
heures à son même poste invariable, les bras seuls
25 occupés au travail incessant de la pêche. Ils n'étaient
séparés les uns des autres que de deux ou trois
mètres, et ils finissaient par ne plus se voir.

Yann avait bien retrouvé tout de suite ses façons
d'être habituelles, comme si son grand chagrin n'eût
30 pas persisté: vigilant et alerte, prompt à la manœuvre
et à la pêche, l'allure désinvolte comme qui n'a pas
de soucis; du reste, communicatif à ses heures[3] seule-

ment — qui étaient rares — et portant toujours la tête
aussi haute avec son air à la fois indifférent et domi-
nateur.

Le soir, au souper, dans le logis fruste que proté-
geait la vierge de faïence, quand on était attablé, le 5
grand couteau en main, devant quelque bonne assiettée
toute chaude, il lui arrivait, comme autrefois, de rire
aux choses drôles que les autres disaient.

En lui-même, peut-être, s'occupait-il un peu de cette
Gaud, que Sylvestre lui avait sans doute donnée pour 10
femme dans ses dernières petites idées d'agonie, — et
qui était devenue une pauvre fille à présent, sans personne au monde. Peut-être bien surtout, le deuil de
ce frère durait-il encore dans le fond de son cœur.

Un matin, vers trois heures, tandis qu'ils rêvaient 15
tranquillement sous leur suaire de brume, ils enten-
dirent comme des bruits de voix dont le timbre leur
sembla étrange et non connu d'eux. Ils se regardèrent
les uns les autres, ceux qui étaient sur le pont, s'in-
terrogeant d'un coup d'œil :   20

« Qui est-ce qui a parlé ? »

Non, personne ; personne n'avait rien dit.

Et, en effet, cela avait bien eu l'air de sortir du vide
extérieur.

Alors, celui qui était chargé de la trompe, et qui 25
l'avait négligée depuis la veille, se précipita dessus, en
se gonflant de tout son souffle pour pousser le long
beuglement d'alarme.

Cela seul faisait déjà frissonner, dans ce silence.
Et puis, comme si une apparition eût été évoquée par 30
ce son vibrant de cornemuse, une grande chose im-
prévue s'était dessinée en grisaille,[1] s'était dressée

menaçante, très haut tout près d'eux : des mâts, des
vergues, des cordages, un dessin de navire qui s'était
fait en l'air, partout à la fois et d'un même coup,
comme ces fantasmagories pour effrayer qui, d'un
5 seul jet de lumière, sont créées sur des voiles tendus.
Et d'autres hommes apparaissaient là, à les toucher,[1]
penchés sur le rebord, les regardant avec des yeux
très ouverts, dans un réveil de surprise et d'épouvante.

10   Ils se jetèrent sur des avirons, des mâts de rechange,[2]
des gaffes — tout ce qui se trouva dans la drôme[3]
de long et de solide — et les pointèrent en dehors
pour tenir à distance cette chose et ces visiteurs qui
leur arrivaient. Et les autres aussi, effarés, allon-
15 geaient vers eux d'énormes bâtons pour les repousser.

Mais il n'y eut qu'un craquement très léger dans
les vergues, au-dessus de leurs têtes, et les mâtures,
un instant accrochées, se dégagèrent aussitôt sans
aucune avarie ; le choc, très doux par ce calme, était
20 tout à fait amorti ; il avait été si faible même, que
vraiment il semblait que cet autre navire n'eût pas
de masse et qu'il fût une chose molle, presque sans
poids.

Alors, le saisissement passé, les hommes se mirent
25 à rire ; ils se reconnaissaient entre eux :

« Ohé ! de la *Marie*. »[4]

« Eh ! Gaos, Laumec, Guermeur ! »

L'apparition, c'était la *Reine-Berthe*, capitaine Larvoër, aussi de Paimpol ; ces matelots étaient des villages
30 d'alentour ; ce grand-là, tout en barbe noire, montrant
ses dents dans son rire, c'était Kerjégou, un de Plouda-
niel ; et les autres venaient de Plounès ou de Plounérin.

« Aussi,[1] pourquoi ne sonniez-vous pas de votre trompe, bande de sauvages ? » demandait Larvoër de la *Reine-Berthe*.

« Eh bien, et vous donc![2] bande de pirates et d'écumeurs, *mauvaise poison*[3] de la mer ? » 5

« Oh ! nous : c'est différent ; *ça nous est défendu de faire du bruit*.» (Il avait répondu cela avec un air de sous-entendre[4] quelque mystère noir ; avec un sourire drôle, qui, par la suite, revint souvent en tête à ceux de la *Marie* et leur donna à penser beaucoup.) 10

Et puis, comme s'il en eût dit trop long, il finit par cette plaisanterie :

« Notre corne à nous, c'est celui-là, en soufflant dedans, qui nous l'a crevée.»

Et il montrait un matelot à figure de triton, qui 15 était tout en[5] cou et tout en poitrine, trop large, bas sur jambes, avec je ne sais quoi de grotesque et d'inquiétant dans sa puissance difforme.

Et pendant qu'on se regardait là, attendant que quelque brise ou quelque courant d'en dessous voulût 20 bien emmener l'un plus vite que l'autre, séparer les navires, on engagea une causerie. Tous appuyés en abord,[6] se tenant en respect au bout de leurs longs morceaux de bois, comme eussent fait des assiégés avec des piques, ils parlèrent des choses du pays, des 25 dernières lettres reçues par les « chasseurs,» des vieux parents et des femmes.

Ils se voyaient comme à travers des gazes blanches, et il semblait que cela changeât aussi le son des voix qui avaient quelque chose d'étouffé et de lointain. 30

Cependant Yann ne pouvait détacher ses yeux d'un de ces pêcheurs, un petit homme déjà vieillot qu'il

était sûr de n'avoir jamais vu nulle part et qui pourtant lui avait dit tout de suite : « Bonjour, mon grand
Yann ! » avec un air d'intime connaissance ; il avait
la laideur irritante des singes, avec leur clignotement
5 de malice dans ses yeux perçants.

« Moi, » disait encore Larvoër, de la *Reine-Berthe,*
« on m'a marqué[1] la mort du petit-fils de la vieille
Yvonne Moan, de Ploubazlanec, qui faisait son service à l'État, comme vous savez, sur l'escadre de
10 Chine ; un bien grand dommage ! »

Entendant cela, les autres de la *Marie* se tournè-
rent vers Yann pour savoir s'il avait déjà connaissance
de ce malheur.

« Oui, » dit-il d'une voix basse, l'air indifférent et
15 hautain, « c'était sur[7] la dernière lettre que mon père
m'a envoyée. »

Ils le regardaient tous, dans la curiosité qu'ils
avaient de son chagrin, et cela l'irritait.

Leurs propos se croisaient à la hâte, au travers du
20 brouillard pâle, pendant que fuyaient les minutes de
leur bizarre entrevue.

« Ma femme me marque en même temps, » continuait Larvoër, « que la fille de M. Mével a quitté
la ville pour demeurer à Ploubazlanec et soigner la
25 vieille Moan, sa grand'tante ; elle s'est mise à travailler
à présent, en journée[3] chez le monde, pour gagner sa
vie. D'ailleurs, j'avais toujours eu dans l'idée, moi,
que c'était une brave fille, et une courageuse, malgré
ses airs de demoiselle et ses falbalas. »[4]

30 Alors, de nouveau, on regarda Yann, ce qui acheva
de lui déplaire, et une couleur rouge lui monta aux
joues sous son hâle doré.

Par cette appréciation sur Gaud fut clos l'entretien avec ces gens de la *Reine-Berthe* qu'aucun être vivant ne devait plus jamais revoir. Depuis un instant, leurs figures semblaient déjà plus effacées, car leur navire était moins près, et, tout à coup, ceux de la *Marie* ne trouvèrent plus rien à pousser, plus rien au bout de leurs longs morceaux de bois; tous leurs « espars,» avirons, mâts ou vergues, s'agitèrent en cherchant dans le vide, puis retombèrent les uns après les autres lourdement dans la mer, comme de grands bras morts. On rentra donc ces défenses inutiles: la *Reine-Berthe,* replongée dans la brume profonde, avait disparu brusquement tout d'une pièce,[1] comme s'efface l'image d'un transparent derrière lequel la lampe a été soufflée. Ils essayèrent de la héler mais rien ne répondit à leurs cris, — qu'une espèce de clameur moqueuse à plusieurs voix, terminée en un gémissement qui les fit se regarder avec surprise...

Cette *Reine-Berthe* ne revint point avec les autres Islandais et, comme ceux du *Samuel-Azénide* avaient rencontré dans un fiord une épave non douteuse (son couronnement d'arrière avec un morceau de sa quille), on ne l'attendit plus; dès le mois d'octobre, les noms de tous ses marins furent inscrits dans l'église sur des plaques noires.

Or, depuis cette dernière apparition dont les gens de la *Marie* avaient bien retenu la date, jusqu'à l'époque du retour, il n'y avait eu aucun mauvais temps dangereux sur la mer d'Islande, tandis que, au contraire, trois semaines auparavant, une bourrasque d'ouest avait emporté plusieurs marins et englouti deux navires. On se rappela alors le sourire

de Larvoër et, en rapprochant toutes ces choses, on
fit beaucoup de conjectures ; Yann revit plus d'une
fois, la nuit, le marin au clignotement de singe, et
quelques-uns de la *Marie* se demandèrent craintive-
5 ment si, ce matin-là, ils n'avaient point causé avec des
trépassés.

X

L'ÉTÉ s'avança et, à la fin d'août, en même temps
que les premiers brouillards du matin, on vit les Islandais revenir.

10   Depuis trois mois déjà, les deux abandonnées habi-
taient ensemble, à Ploubazlanec, la chaumière des
Moan ; Gaud avait pris place de fille dans ce pauvre
nid de marins morts. Elle avait envoyé là tout ce
qu'on lui avait laissé après la vente de la maison de
15 son père : son beau lit *à la mode des villes* et ses belles
jupes de différentes couleurs. Elle avait fait elle-
même sa nouvelle robe noire d'une façon plus simple
et portait, comme la vieille Yvonne, une coiffe de deuil
en mousseline épaisse ornée seulement de plis.

20   Tous les jours, elle travaillait à des ouvrages de
couture chez des gens riches de la ville et rentrait, à
la nuit, sans être distraite en chemin par aucun amou-
reux, restée un peu hautaine, et encore entourée d'un
respect de demoiselle ; en lui disant bonsoir, les gar-
25 çons mettaient, comme autrefois, la main à leur chapeau.

Par les beaux crépuscules d'été, elle s'en revenait
de Paimpol, tout le long de cette route de falaise,

aspirant le grand air marin qui repose.[1] Les travaux
d'aiguille n'avaient pas eu le temps de la déformer —
comme d'autres, qui vivent toujours penchées de côté
sur leur ouvrage — et, en regardant la mer, elle re-
dressait la belle taille souple qu'elle tenait de race; 5
en regardant la mer, en regardant le large, tout au
fond duquel était Yann. ...

Cette même route menait chez lui. En continuant
un peu, vers certaine région plus pierreuse et plus
balayée par le vent, on serait arrivé à ce hameau de 10
Pors-Even où les arbres, couverts de mousses grises,
croissent tout petits entre les pierres et se couchent
dans le sens des rafales d'ouest. Elle n'y retour-
nerait sans doute jamais, dans ce Pors-Even, bien
qu'il fût à moins d'une lieue; mais, une fois dans sa 15
vie, elle y était allée et cela avait suffi pour laisser un
charme sur tout ce chemin; Yann, d'ailleurs, devait
souvent y passer et, de sa porte, elle pourrait le
suivre allant ou venant sur la lande rase, entre les
ajoncs courts. Donc elle aimait toute cette région de 20
Ploubazlanec; elle était presque heureuse que le sort
l'eût rejetée là; en aucun autre lieu du pays elle
n'eût pu se faire[2] à vivre.

A cette saison de fin d'août, il y a comme un alanguissement de pays chaud qui remonte du midi vers 25
le nord; il y a des soirées lumineuses, des reflets du
grand soleil[3] d'ailleurs qui viennent traîner jusque
sur la mer bretonne. Très souvent, l'air est limpide
et calme, sans aucun nuage nulle part.

Aux heures où Gaud s'en revenait,[4] les choses se 30
fondaient déjà ensemble pour la nuit, commençaient à
se réunir et à former des silhouettes. Çà et là, un

bouquet d'ajoncs se dressait sur une hauteur entre
deux pierres, comme un panache ébouriffé; un groupe
d'arbres tordus formait un amas sombre dans un
creux, ou bien, ailleurs, quelque hameau à toits de
5 paille dessinait au-dessus de la lande une petite découpure bossue.   Aux carrefours, les vieux christs[1]
qui gardaient la campagne étendaient leurs bras noirs
sur les calvaires;[2] dans le lointain, la Manche se
détachait[3] en clair, en grand miroir jaune sur un ciel
10 qui était déjà obscurci par le bas, déjà ténébreux vers
l'horizon.   Et dans ce pays, même ce calme, même
ces beaux temps, étaient mélancoliques; il restait,
malgré tout, une inquiétude planant sur les choses;
une anxiété venue de la mer à qui tant d'existences
15 étaient confiées et dont l'éternelle menace n'était qu'en-
dormie.

Gaud, qui songeait en chemin, ne trouvait jamais
assez longue sa course de retour au grand air.   On
sentait l'odeur salée des grèves, et l'odeur douce de
20 certaines petites fleurs qui croissent sur les falaises
entre les épines maigres.   Sans la grand'mère Yvonne
qui l'attendait au logis, volontiers elle se serait attar-
dée dans ces sentiers d'ajoncs, à la manière de ces
belles demoiselles qui aiment à rêver, les soirs d'été,
25 dans les parcs.

En traversant ce pays, il lui revenait bien aussi
quelques souvenirs de sa petite enfance; mais comme
ils étaient effacés à présent, reculés, amoindris par
son amour!   Malgré tout, elle voulait considérer ce
30 Yann comme une sorte de fiancé, — un fiancé fuyant,
dédaigneux, sauvage, qu'elle n'aurait jamais; mais à
qui elle s'obstinerait à rester fidèle en esprit, sans plus

confier cela à personne. Pour le moment, elle aimait
à le savoir en Islande : là, au moins, la mer le lui
gardait dans ses cloîtres profonds et il ne pouvait se
donner à aucune autre.

Il est vrai qu'un de ces jours il allait revenir, mais
elle envisageait aussi ce retour avec plus de calme
qu'autrefois. Par instinct, elle comprenait que sa
pauvreté ne serait pas un motif pour être plus dédaignée, — car il n'était pas un garçon comme les
autres. — Et puis cette mort du pauvre petit Sylvestre était une chose qui les rapprochait décidément.
A son arrivée, il ne pourrait manquer de venir sous
leur toit pour voir la grand'mère de son ami ; et elle
avait décidé qu'elle serait là pour cette visite, il ne lui
semblait pas que ce fût manquer de dignité ; sans
paraître se souvenir de rien, elle lui parlerait comme
à quelqu'un qu'on connaît depuis longtemps ; elle lui
parlerait même avec affection comme à un frère de
Sylvestre, en tâchant d'avoir l'air naturel. Et qui
sait ? il ne serait peut-être pas impossible de prendre
auprès de lui une place de sœur, à présent qu'elle allait
être si seule au monde ; de se reposer sur son amitié ;
de la lui demander comme un soutien, en s'expli-
quant assez pour qu'il ne crût plus à aucune arrière-
pensée de mariage. Elle le jugeait sauvage seulement, entêté dans ses idées d'indépendance, mais doux,
franc, et capable de bien comprendre les choses bonnes
qui viennent tout droit du cœur.

Qu'allait-il éprouver, en la retrouvant là, pauvre,
dans cette chaumière presque en ruine ? . . . Bien
pauvre, oh ! oui, car la grand'mère Moan, n'étant plus
assez forte pour aller en journée[1] aux lessives, n'avait

plus rien que sa pension de veuve; il est vrai, elle
mangeait bien peu maintenant, et toutes deux pouvaient encore s'arranger pour vivre sans demander
rien à personne.

5   La nuit était toujours tombée quand elle arrivait
au logis; avant d'entrer, il fallait descendre un peu,
sur des roches usées, la chaumière se trouvant en
contre-bas¹ de ce chemin de Ploubazlanec, dans la
partie de terrain qui s'incline vers la grève. Elle
10 était presque cachée sous son épais toit de paille
brune, tout gondolé, qui ressemblait au dos de quelque énorme bête morte effondrée sous ses poils durs.
Ses murailles avaient la couleur sombre et la rudesse
des rochers, avec des mousses et du cochléaria for-
15 mant de petites touffes vertes.   On montait les trois
marches gondolées du seuil, et on ouvrait le loquet
intérieur de la porte au moyen d'un bout de corde de
navire² qui sortait par un trou.   En entrant, on voyait
d'abord en face de soi la lucarne, percée comme dans
20 l'épaisseur d'un rempart, et donnant sur la mer d'où
venait une dernière clarté jaune pâle.   Dans la grande
cheminée flambaient des brindilles odorantes de pin et
de hêtre, que la vieille Yvonne ramassait dans ses
promenades le long des chemins; elle-même était là
25 assise, surveillant leur petit souper; dans son intérieur, elle portait un serre-tête seulement, pour ménager ses coiffes; son profil, encore joli, se découpait
sur la lueur rouge de son feu.   Elle levait vers Gaud
ses yeux jadis bruns, qui avaient pris une couleur
30 passée, tournée au bleuâtre, et qui ne regardaient plus,
qui étaient troubles, incertains, égarés de vieillesse.³
Elle disait toutes les fois la même chose:

« Ah ! mon Dieu, ma bonne fille, comme tu rentres tard ce soir ! »

« Mais non, grand'mère, » répondait doucement Gaud qui y était habituée, « il est la même heure que les autres jours. »

« Ah ! me semblait à moi, ma fille, me semblait[1] qu'il était plus tard que de coutume. »

Elles soupaient sur une table devenue presque informe à force d'être usée, mais encore épaisse comme le tronc d'un gros chêne. Et le grillon ne manquait jamais de leur recommencer sa petite musique à son d'argent.

Un des côtés de la chaumière était occupé par des boiseries grossièrement sculptées et aujourd'hui toutes vermoulues ; en s'ouvrant, elles donnaient accès dans des étagères où plusieurs générations de pêcheurs avaient dormi, et où les mères vieillies étaient mortes.

Aux solives noires du toit s'accrochaient des ustensiles de ménage très anciens, des paquets d'herbes, des cuillers de bois, du lard fumé ; aussi de vieux filets, qui dormaient là depuis le naufrage des derniers fils Moan, et dont les rats venaient la nuit couper les mailles.

Le lit de Gaud, installé dans un angle avec ses rideaux de mousseline blanche, faisait l'effet d'une chose élégante et fraîche, apportée dans une hutte de Celte.[2]

Il y avait une photographie de Sylvestre en matelot, dans un cadre, accrochée au granit du mur. Sa grand'mère y avait attaché sa médaille militaire, avec une de ces paires d'ancres en drap rouge que les marins portent sur la manche droite, et qui venait de

lui; Gaud lui avait aussi acheté, à Paimpol, une de
ces couronnes funéraires en perles noires et blanches
dont on entoure, en Bretagne, les portraits des défunts. C'était là son petit mausolée, tout ce qu'il
5 avait pour consacrer sa mémoire, dans son pays breton.

   Les soirs d'été, elles ne veillaient pas, par économie
de lumière; quand le temps était beau, elles s'asseyaient un moment sur un banc de pierre devant la
porte, et regardaient le monde qui passait dans le
10 chemin un peu au-dessus de leur tête.

   Ensuite la vieille Yvonne se couchait dans son étagère d'armoire,[1] — et Gaud, dans son lit de demoiselle; là, elle s'endormait assez vite, ayant beaucoup
travaillé, beaucoup marché, et songeant au retour des
15 Islandais en fille sage, résolue, sans un trouble trop
grand...

   Mais un jour, à Paimpol, entendant dire que la
Marie venait d'arriver, elle se sentit prise d'une espèce de fièvre. Tout son calme d'attente l'avait aban-
20 donnée; ayant brusqué[2] la fin de son ouvrage, sans
savoir pourquoi, elle se mit en route plus tôt que de
coutume, — et, dans le chemin, comme elle se hâtait,
elle le reconnut de loin qui venait à l'encontre d'elle.

   Ses jambes tremblaient et elle les sentait fléchir.
25 Il était déjà tout près, se dessinant à vingt pas à peine,
avec sa taille superbe, ses cheveux bouclés sous son
bonnet de pêcheur. Elle se trouvait prise si au dé-
pourvu par cette rencontre, que vraiment elle avait
peur de chanceler, et qu'il s'en aperçût;[3] elle en serait
30 morte de honte à présent. . . . Et puis elle se croyait
mal coiffée, avec un air fatigué pour avoir fait son
ouvrage trop vite; elle eût donné je ne sais quoi pour

être cachée dans les touffes d'ajoncs, disparue dans quelque trou des fouines. Du reste, lui aussi avait fait un mouvement de recul, comme pour essayer de changer de route. Mais c'était trop tard : ils se croisèrent dans l'étroit chemin. 5

Lui, pour ne pas la frôler, se rangea contre le talus, d'un bond de côté comme un cheval ombrageux qui se dérobe, en la regardant d'une manière furtive et sauvage.

Elle aussi, pendant une demi-seconde, avait levé 10 les yeux, lui jetant malgré elle-même une prière et une angoisse.[1] Et, dans ce croisement involontaire de leurs regards, plus rapide qu'un coup de feu, ses prunelles gris de lin avaient paru s'élargir, s'éclairer de quelque grande flamme de pensée, lancer une vraie 15 lueur bleuâtre, tandis que sa figure était devenue toute rose jusqu'aux tempes, jusque sous les tresses blondes.

Il avait dit en touchant son bonnet :

« Bonjour, mademoiselle Gaud ! »

« Bonjour, monsieur Yann, » répondit-elle. 20

Et ce fut tout ; il était passé. Elle continua sa route, encore tremblante, mais sentant peu à peu, à mesure qu'il s'éloignait, le sang reprendre son cours et la force revenir.

Au logis, elle trouva la vieille Moan assise dans un 25 coin, la tête entre ses mains, qui pleurait, toute dépeignée,[2] sa queue de cheveux tombée de son serre-tête comme un maigre écheveau de chanvre gris :

« Ah ! ma bonne Gaud, — c'est le fils Gaos que j'ai rencontré du côté de Plouherzel, comme je m'en re- 30 tournais de ramasser mon bois ; — alors nous avons parlé de mon pauvre petit, tu penses bien. Ils sont

arrivés ce matin de l'Islande et, dès ce midi, il était
venu pour me faire une visite pendant que j'étais
dehors. Pauvre garçon, il avait les larmes aux yeux
lui aussi.... Jusqu'à ma porte, qu'il a voulu[1] me
5 raccompagner, ma bonne Gaud, pour me porter mon
petit fagot.»

Elle écoutait cela, debout, et son cœur se serrait à mesure:[2] ainsi, cette visite de Yann, sur laquelle elle avait
tant compté pour lui dire tant de choses, était déjà faite,
10 et ne se renouvellerait sans doute plus; c'était fini.

Alors la chaumière lui sembla plus désolée, la misère plus dure, le monde plus vide, — et elle baissa
la tête avec une envie de mourir.

   *   *   *   *   *   *

L'hiver était venu, et on était déjà aux premiers
15 jours de février, par un assez beau temps doux

Yann sortait de chez l'armateur, venant de toucher
sa part de pêche du dernier été, 1500 francs, qu'il
emportait pour les remettre à sa mère, suivant la coutume de famille. L'année avait été bonne, et il s'en
20 retournait content.

Près de Ploubazlanec, il vit un rassemblement au
bord de la route; une vieille, qui gesticulait avec son
bâton, et autour d'elle des gamins ameutés[3] qui
riaient.... La grand'mère Moan! La bonne grand'-
25 mère que Sylvestre adorait, toute traînée[4] et déchirée,
devenue maintenant une de ces vieilles pauvresses im-
béciles qui font des attroupements sur les chemins!...
Cela lui causa une peine affreuse.

Ces gamins de Ploubazlanec lui avaient tué son chat,
30 et elle les menaçait de son bâton, très en colère et en
désespoir:

« Ah ! s'il avait été ici, lui, mon pauvre garçon, vous n'auriez pas osé, bien sûr, mes vilains drôles ! »

Elle était tombée, paraît-il, en courant après eux pour les battre ; sa coiffe était de côté, sa robe pleine de boue, et ils disaient qu'elle était grise (comme cela arrive bien en Bretagne à quelques pauvres vieux qui ont eu des malheurs).

Yann savait, lui, que ce n'était pas vrai, et qu'elle était une vieille respectable ne buvant jamais que de l'eau.

« Vous n'avez pas honte ? » dit-il aux gamins, très en colère lui aussi, avec sa voix et son ton qui imposaient.

Et, en un clin d'œil, tous les petits se sauvèrent, penauds et confus, devant le grand Gaos.

Gaud, qui justement revenait de Paimpol, rapportant de l'ouvrage pour la veillée, avait aperçu cela de loin, reconnu sa grand'mère dans ce groupe. Effrayée, elle arriva en courant pour savoir ce que c'était, ce qu'elle avait eu, ce qu'on avait pu lui faire, — et comprit, voyant leur chat qu'on avait tué.

Elle leva ses yeux francs vers Yann, qui ne détourna pas les siens ; ils ne songeaient plus à se fuir cette fois, devenus seulement très roses tous deux, lui aussi vite qu'elle, d'une même montée de sang à leurs joues, ils se regardaient, avec un peu d'effarement de se trouver si près ; mais sans haine, presque avec douceur, réunis qu'ils étaient dans une commune pensée de pitié et de protection.

Il y avait longtemps que les enfants de l'école lui en voulaient, à ce pauvre matou défunt, parce qu'il avait la figure noire, un air de diable ; mais c'était

un très bon chat, et, quand on le regardait de près,
on lui trouvait au contraire la mine tranquille et
câline.

« Ah! mon pauvre garçon, mon pauvre garçon; s'il
5 était encore de ce monde, on n'aurait pas osé me faire
çà, non bien sûr! »

Gaud l'avait recoiffée au milieu,[1] tâchait de la consoler avec des paroles douces de petite-fille. Et Yann
s'indignait : si c'était possible, que des enfants fussent
10 si méchants! Faire une chose pareille à une pauvre
vieille femme! Les larmes lui en venaient presque,
à lui aussi. — Non point pour ce matou, il va sans
dire : les jeunes hommes, rudes comme lui, s'ils aiment
bien à jouer avec les bêtes, n'ont guère de sensiblerie
15 pour elles; mais son cœur se fendait, à marcher là
derrière cette grand'mère en enfance, emportant son
pauvre chat par la queue. Il pensait à Sylvestre, qui
l'avait tant aimée; au chagrin horrible qu'il aurait eu,
si on lui avait prédit qu'elle finirait ainsi, en dérision
20 et en misère.

Et Gaud s'excusait, comme étant chargée de sa
tenue :

« C'est qu'elle sera tombée, pour être si sale, » disait-
elle tout bas; « sa robe n'est plus bien neuve, c'est
25 vrai, car nous ne sommes pas riches, monsieur Yann;
mais je l'avais encore raccommodée hier, et ce matin
quand je suis partie, je suis sûre qu'elle était propre
et en ordre. »

Il la regarda alors longuement, beaucoup plus touché
30 peut-être par cette petite explication toute simple qu'il
ne l'eût été par d'habiles phrases, des reproches ou des
pleurs. Ils continuaient de marcher l'un près de

l'autre, se rapprochant de la chaumière des Moan. —
Pour jolie,[1] elle l'avait toujours été comme personne,[2]
il le savait fort bien, mais il lui parut qu'elle l'était
encore davantage depuis sa pauvreté et son deuil.
Son air était devenu plus sérieux, ses yeux gris de 5
lin avaient l'expression plus réservée et semblaient
malgré cela vous pénétrer plus avant, jusqu'au fond
de l'âme. Sa taille aussi avait achevé de se former.
Vingt-trois ans bientôt; elle était dans tout son épanouissement de beauté. 10

Et puis elle avait à présent la tenue d'une fille de
pêcheur, sa robe noire sans ornements et une coiffe
tout unie; son air de demoiselle, on ne savait plus
bien d'où il lui venait: c'était quelque chose de caché
en elle-même et d'involontaire dont on ne pouvait plus 15
lui faire reproche.

Décidément il les accompagnait, — jusque chez elles
sans doute.

Ils s'en allaient tous trois, comme pour l'enterrement de ce chat, et cela devenait presque un peu 20
drôle, maintenant, de les voir ainsi passer en cortège; il y avait sur les portes des bonnes gens qui souriaient. La vieille Yvonne au milieu, portant la bête;
Gaud à sa droite, troublée et toujours très rose; le
grand Yann à sa gauche, tête haute et pensif. 25

Cependant la pauvre vieille s'était presque subitement apaisée en route; d'elle-même, elle s'était recoiffée et, sans plus rien dire, elle commençait à les
observer alternativement l'un et l'autre, du coin de
son œil qui était redevenu clair. 30

Gaud ne parlait pas non plus de peur de donner à
Yann une occasion de prendre congé; elle eût voulu

rester sur ce bon regard doux qu'elle avait reçu de lui,
marcher les yeux fermés pour ne plus voir rien autre
chose, marcher ainsi bien longtemps à ses côtés dans
un rêve qu'elle faisait, au lieu d'arriver si vite à leur
5 logis vide et sombre où tout allait s'évanouir.

A la porte, il y eut une de ces minutes d'indécision pendant lesquelles il semble que le cœur cesse de
battre. La grand'mère entra sans se retourner; puis
Gaud, hésitante, et Yann, par derrière, entra aussi.

10 Il était chez elles, pour la première fois de sa vie;
sans but, probablement; qu'est-ce qu'il pouvait vouloir? . . . En passant le seuil, il avait touché son chapeau, et puis, ses yeux ayant rencontré d'abord le
portrait de Sylvestre dans sa petite couronne mortuaire
15 en perles noires, il s'en était approché lentement comme
d'une tombe.

Gaud était restée debout, appuyée des mains à leur
table. Il regardait maintenant tout autour de lui, et
elle le suivait dans cette sorte de revue silencieuse qu'il
20 passait de leur pauvreté. Bien pauvre, en effet, malgré son air rangé et honnête,[1] le logis de ces deux
abandonnées qui s'étaient réunies. Peut-être, au
moins, éprouverait-il pour elle un peu de bonne pitié,
en la voyant redescendue à cette même misère, à ce
25 granit fruste et à ce chaume.

Il ne disait rien. Pourquoi ne s'en allait-il pas?
La vieille grand'mère, qui était encore si fine à ses
moments lucides, faisait semblant de ne pas prendre
garde à lui. Donc ils restaient debout l'un devant
30 l'autre, muets et anxieux, finissant par se regarder
comme pour quelque interrogation suprême.[2]

Mais les instants passaient et, à chaque seconde

écoulée, le silence semblait entre eux se figer davan-
tage.¹ Et ils se regardaient toujours plus profondément, comme dans l'attente solennelle de quelque
chose d'inouï qui tardait à venir.

*   *   *   *   *   *

« Gaud,» demanda-t-il à demi-voix grave, « si vous   5
voulez toujours...»

Qu'allait-il dire? On devinait quelque grande dé-
cision, brusque comme étaient les siennes, prise là tout
à coup, et osant à peine être formulée.

« Si vous voulez toujours... La pêche s'est bien   10
vendue cette année, et j'ai un peu d'argent devant
moi.»²

Si elle voulait toujours! Que lui demandait-il?
avait-elle bien entendu? Elle était anéantie devant
l'immensité de ce qu'elle croyait comprendre.   15

Et la vieille Yvonne, de son coin là-bas, dressait
l'oreille, sentant du bonheur approcher...

« Nous pourrions faire notre mariage, mademoiselle
Gaud, si vous vouliez toujours...»

Et puis il attendit sa réponse, qui ne vint pas. Qui³ 20
donc pouvait l'empêcher de prononcer ce oui? Il
s'étonnait, il avait peur, et elle s'en apercevait bien.
Appuyée des deux mains à la table, devenue toute
blanche, avec des yeux qui se voilaient, elle était sans
voix, ressemblant à une mourante.   25

« Eh bien, Gaud, réponds donc!» dit la vieille
grand'mère qui s'était levée pour venir à eux.
« Voyez-vous, ça la surprend, monsieur Yann; il faut
l'excuser; elle va réfléchir et vous répondre tout à
l'heure. Asseyez-vous, monsieur Yann, et prenez un 30
verre de cidre avec nous.»

Mais non, elle ne pouvait pas répondre, Gaud ; aucun
mot ne lui venait plus, dans son extase... C'était
donc vrai qu'il était bon, qu'il avait du cœur... Elle le
retrouvait là, son vrai Yann, tel qu'elle n'avait jamais
5 cessé de le voir en elle-même, malgré sa dureté, malgré
son refus sauvage,¹ malgré tout. Il l'avait dédaignée
longtemps, il l'acceptait aujourd'hui, — et aujourd'hui
qu'elle était pauvre ; c'était son idée à lui sans doute,
il avait eu quelque motif qu'elle saurait plus tard ;
10 en ce moment, elle ne songeait pas du tout à lui en
demander compte, non plus qu'à lui reprocher son
chagrin de deux années... Tout cela, d'ailleurs, était
si oublié, tout cela venait d'être emporté si loin, en
une seconde, par le tourbillon délicieux qui passait sur
15 sa vie !...

« Allons, Dieu vous bénisse, mes enfants,» dit la
grand'mère Moan. « Et moi, je lui dois un grand
merci, car je suis encore contente d'être devenue si
vieille, pour avoir vu ça avant de mourir.»

20 Ils restaient toujours là, l'un devant l'autre, se
tenant les mains, et ne trouvant pas de mots pour se
parler.

« Embrassez-vous, au moins, mes enfants. Mais
c'est qu'ils ne se disent rien ! Ah ! mon Dieu, les
25 drôles de petits-enfants que j'ai là par exemple !²
Allons, Gaud, dis-lui donc quelque chose, ma fille.
De mon temps à moi, me semble qu'on s'embrassait,
quand on s'était promis.»

Yann ôta son chapeau, comme saisi tout à coup
30 d'un grand respect inconnu, avant de se pencher pour
embrasser Gaud.

Elle aussi l'embrassa, appuyant de tout son cœur

ses lèvres fraîches sur cette joue de son fiancé que
la mer avait dorée. Dans les pierres du mur, le grillon leur chantait le bonheur; il tombait juste, cette
fois, par hasard. Et le pauvre petit portrait de Sylvestre avait un air de leur sourire, du milieu de sa   5
couronne noire. Et tout paraissait s'être subitement
vivifié et rajeuni dans la chaumière morte.

« Alors, c'est au retour d'Islande que vous allez faire
ça,¹ mes bons enfants? »

Gaud baissa la tête. L'Islande, — c'est vrai, elle   10
avait déjà oublié ces épouvantes dressées sur la route.
— Au retour d'Islande! comme ce serait long, encore
tout cet été d'attente craintive.

Et Yann, battant le sol du bout de son pied, à petits
coups rapides, devenu fort pressé lui aussi, comptait   15
en lui-même² très vite, pour voir si, en se dépêchant
bien, on n'aurait pas le temps de se marier avant ce
départ : tant de jours pour réunir les papiers, tant de
jours pour publier les bans à l'église; oui, cela ne
mènerait jamais qu'au 20 ou 25 du mois pour les   20
noces, et, si rien n'entravait, on aurait donc encore
une grande semaine³ à rester ensemble après.

« Je m'en vais toujours⁴ commencer par prévenir
notre père,» dit-il, avec autant de hâte que si les
minutes mêmes de leur vie étaient maintenant mesu-   25
rées et précieuses.

XI

CHAQUE soir Yann et Gaud s'asseyaient à la porte
de la chaumière des Moan, sur le vieux banc de granit; c'est là qu'ils se faisaient leur cour.⁵

D'autres ont le printemps, l'ombre des arbres, les
soirées tièdes, les rosiers fleuris. Eux n'avaient rien
que des crépuscules de février descendant sur un pays
marin, tout d'ajoncs et de pierres. Aucune branche
5 de verdure au-dessus de leur tête, ni alentour; rien
que le ciel immense, où passaient lentement des brumes
errantes. Et pour fleurs, des algues brunes, que les
pêcheurs, en remontant de la grève, avaient entraînées
dans le sentier avec leurs filets.

10 Il était convenu qu'ils habiteraient chez cette grand'-
mère Yvonne qui, par testament, leur léguait sa chaumière; pour le moment, ils n'y faisaient aucune amélioration, faute de temps, et remettaient au retour
d'Islande leur projet d'embellir un peu ce pauvre nid
15 par trop désolé.[1]

Un soir, il s'amusait à lui citer mille petites choses
qu'elle avait faites ou qui lui étaient arrivées depuis
leur première rencontre; il lui disait même les robes
qu'elle avait eues, les fêtes où elle était allée.

20 Elle l'écoutait avec une extrême surprise. Comment
donc savait-il tout cela? Qui se serait imaginé qu'il
y avait fait attention et qu'il était capable de le
retenir?

Lui, souriait, faisant le mystérieux, et racontait en-
25 core d'autres petits détails, même des choses qu'elle
avait presque oubliées.

Maintenant, sans plus l'interrompre, elle le laissait
dire, avec un ravissement inattendu qui la prenait tout
entière; elle commençait à deviner, à comprendre:
30 c'est qu'il l'avait aimée, lui aussi, tout ce temps-là!
Elle avait été sa préoccupation constante; il lui en
faisait l'aveu naïf à présent!

Et alors, qu'est-ce qu'il y avait eu, mon Dieu ; pourquoi l'avait-il tant repoussée,[1] tant fait souffrir ?

Elle l'avait pressé de questions sur ce mystère qu'il n'y avait pas moyen de lui faire dire, et cette fois il se voyait pris : elle était trop fine et trop décidée à savoir ; aucun faux-fuyant ne le tirerait plus de ce mauvais pas.

« De méchants propos, qu'on avait tenus sur mon compte ? » demandait-elle.

Il essaya de répondre oui. De méchants propos, oh ! on en avait tenu beaucoup dans Paimpol, et dans Ploubazlanec.

Elle demanda quoi. Il se troubla et ne sut pas dire. Alors elle vit bien que ce devait être autre chose.

« C'était ma toilette, Yann ? »

Pour la toilette, il est sûr que cela y avait contribué : elle en faisait trop, pendant un temps, pour devenir la femme d'un simple pêcheur. Mais enfin il était forcé de convenir que ce n'était pas tout.

« Était-ce parce que, dans ce temps-là, nous passions pour riches ? Vous aviez peur d'être refusé ? »

« Oh ! non, pas cela.»

Il fit cette réponse avec une si naïve sûreté de lui-même, que Gaud en fut amusée.

Tandis qu'elle l'observait attentivement, une idée commençait à lui venir, et son expression changeait à mesure :[2]

« Ce n'était rien de tout cela, Yann ; alors quoi ? » dit-elle en le regardant tout à coup dans le blanc des yeux, avec le sourire d'inquisition irrésistible de quelqu'un qui a deviné.

Et lui détourna la tête, en riant tout à fait.

Ainsi, c'était bien cela, elle avait trouvé: de raison,[1]
il ne pouvait pas lui en donner, parce qu'il n'y en
avait pas, il n'y en avait eu jamais. Eh bien, oui, tout
simplement il avait fait son têtu[2] (comme Sylvestre
5 disait jadis), et c'était tout. Mais voilà aussi, on
l'avait tourmenté avec cette Gaud! Tout le monde
s'y était mis,[3] ses parents, Sylvestre, ses camarades
islandais, jusqu'à Gaud elle-même. Alors il avait commencé à dire non, obstinément non, tout en gardant
10 au fond de son cœur l'idée qu'un jour, quand personne n'y penserait plus, cela finirait certainement par
être oui.

Et c'était pour cet enfantillage de son Yann que
Gaud avait langui, abandonnée pendant deux ans, et
15 désiré mourir...

Après le premier mouvement,[4] qui avait été de rire
un peu, par confusion d'être découvert, Yann regarda
Gaud avec des bons yeux graves qui, à leur tour,
interrogeaient profondément: lui pardonnerait-elle au
20 moins? Il avait un si grand remords aujourd'hui de
lui avoir fait tant de peine, lui pardonnerait-elle?

«C'est mon caractère qui est comme cela, Gaud,»
dit-il. «Chez nous, avec mes parents, c'est la même
chose. Des fois,[5] quand je fais ma tête dure, je reste
25 pendant des huit jours[6] comme fâché avec eux,
presque sans parler à personne. Et pourtant je les
aime bien, vous le savez, et je finis toujours par leur
obéir dans tout ce qu'ils veulent, comme si j'étais encore un enfant de dix ans.»

30 Oh! si elle lui pardonnait! Elle sentait tout doucement des larmes lui venir, et c'était le reste de son
chagrin d'autrefois qui finissait de s'en aller à cet

aveu de son Yann. D'ailleurs, sans toute sa souffrance d'avant, l'heure présente n'eût pas été si délicieuse ; à présent que c'était fini, elle aimait presque
mieux avoir connu ce temps d'épreuve.

Maintenant, tout était éclairci entre eux deux ; d'une
manière inattendue, il est vrai, mais complète ; il n'y
avait plus aucun voile entre leurs deux âmes.

*　　*　　*　　*　　*　　*

XII

C'ÉTAIT six jours avant le départ pour l'Islande.
Leur cortège de noces s'en revenait[1] de l'église de
Ploubazlanec, pourchassé par un vent furieux, sous
un ciel chargé[2] et tout noir.

Au bras l'un de l'autre, ils étaient beaux tous deux,
marchant comme des rois, en tête de leur longue suite,
marchant comme dans un rêve. Calmes, recueillis,
graves, ils avaient l'air de ne rien voir ; de dominer la
vie, d'être au-dessus de tout. Ils semblaient même
être respectés par le vent, tandis que, derrière eux,
ce cortège était un joyeux désordre de couples rieurs,
que de grandes rafales d'ouest tourmentaient. Beaucoup de jeunes, chez lesquels aussi la vie débordait ;
d'autres, déjà grisonnants, mais qui souriaient encore
en se rappelant le jour de leurs noces et leurs premières
années. Grand'mère Yvonne était là et suivait aussi,
très éventée, mais presque heureuse, au bras d'un vieil
oncle de Yann qui lui disait des galanteries anciennes ; elle portait une belle coiffe neuve qu'on lui avait
achetée pour la circonstance et toujours son petit

châle, reteint une troisième fois — en noir, à cause de
Sylvestre.

Et le vent secouait indistinctement[1] tous ces invités ;
on voyait des jupes relevées et des robes retournées ;
des chapeaux et des coiffes qui s'envolaient.

A la porte de l'église, les mariés s'étaient acheté,
suivant la coutume, des bouquets de fausses fleurs
pour compléter leur toilette de fête. Yann avait attaché
les siennes au hasard sur sa poitrine large, mais il
était de ceux à qui tout va bien. Quant à Gaud, il y
avait de la demoiselle encore dans la façon dont ces
pauvres fleurs grossières étaient piquées en haut de
son corsage.

Le violonaire[2] qui menait tout ce monde, affolé par
le vent, jouait à la diable ;[3] ses airs arrivaient aux
oreilles par bouffées, et, dans le bruit des bourrasques,
semblaient une petite musique drôle, plus grêle que
les cris d'une mouette.

Tout Ploubazlanec était sorti pour les voir. Ce
mariage avait quelque chose qui passionnait[4] les gens,
et on était venu de loin à la ronde ; aux carrefours
des sentiers, il y avait partout des groupes qui sta-
tionnaient pour les attendre. Presque tous les « Islandais » de Paimpol, les amis de Yann, étaient là postés.
Ils saluaient les mariés au passage ; Gaud répondait
en s'inclinant légèrement comme une demoiselle, avec
sa grâce sérieuse, et, tout le long de sa route, elle était
admirée.

On continua de marcher au delà du hameau de
Pors-Even et de la maison des Gaos. C'était
pour se rendre, suivant l'usage traditionnel des
mariés du pays de Ploubazlanec, à la chapelle

de la Trinité, qui est comme au bout du monde
breton.

Au pied de la dernière et extrême falaise, elle pose
sur un seuil de roches basses, tout près des eaux, et
semble déjà appartenir à la mer. Pour y descendre, 5
on prend un sentier de chèvre parmi des blocs de
granit. Et le cortège de noce se répandit sur la pente
de ce cap isolé, au milieu des pierres, les paroles
joyeuses ou galantes se perdant tout à fait dans le
bruit du vent et des lames. 10

Impossible d'atteindre cette chapelle ; par ce gros
temps,[1] le passage n'était pas sûr, la mer venait trop
près frapper ses grands coups. On voyait bondir très
haut ses gerbes[2] blanches qui, en retombant, se dé-
ployaient pour tout inonder. 15

Yann, qui s'était le plus avancé, avec Gaud appuyée
à son bras recula le premier devant les embruns. En
arrière, son cortège restait échelonné[3] sur les roches,
en amphithéâtre, et lui, semblait être venu là pour
présenter sa femme à la mer ; mais celle-ci faisait mau- 20
vais visage à la mariée nouvelle.

En se retournant, il aperçut le violonaire, perché sur
un rocher gris et cherchant à rattraper, entre deux
rafales, son air de contredanse.

« Ramasse ta musique,[4] mon ami, » lui dit-il ; « la 25
mer nous en joue d'une autre qui marche mieux que
la tienne. »

En même temps commença une grande pluie fouet-
tante qui menaçait depuis le matin. Alors ce fut une
débandade folle avec des cris et des rires, pour grim- 30
per sur la haute falaise et se sauver chez les Gaos.

XIII

Ils furent mari et femme pendant six jours.

En ce moment de départ, les choses d'Islande occu-
paient tout le monde. Des femmes de peine[1] empi-
laient le sel pour la saumure dans les soutes des
5 navires; les hommes disposaient les gréements et,
chez Yann, la mère, les sœurs travaillaient du matin
au soir à préparer les *suroîts*,[2] les *cirages*,[3] tout le
trousseau de campagne. Le temps était sombre, et
la mer, qui sentait l'équinoxe venir, était remuante et
10 troublée.

Gaud subissait ces préparatifs inexorables avec angoisse, comptant les heures rapides des journées, attendant le soir où, le travail fini, elle avait son Yann pour
elle seule.

15 Inquiète, elle l'était beaucoup dans son bonheur, qui
lui semblait quelque chose de trop inespéré, d'instable
comme les rêves.

Vraiment, six jours de mariage, pour un amour
comme le leur, ce n'était rien; rien qu'un petit acompte
20 pris sur le temps de l'existence.

Oh! les autres années, à tout prix, l'empêcher de
repartir pour cette Islande! Mais comment s'y prendre? Et que feraient-ils alors pour vivre, étant si peu
riches l'un et l'autre? Et puis il aimait tant son métier
25 de mer.

Elle essayerait malgré tout, les autres fois, de le
retenir; elle y mettrait toute sa volonté, toute son
intelligence et tout son cœur. Être femme d'Islandais,

voir approcher tous les printemps avec tristesse, passer tous les étés dans l'anxiété douloureuse : non, elle se sentait prise d'une épouvante trop grande en songeant à ces années à venir.

Le quai de Paimpol, le lendemain matin, était plein de monde. Les départs d'Islandais avaient commencé depuis l'avant-veille et, à chaque marée, un groupe nouveau prenait le large. Ce matin-là, quinze bateaux devaient sortir, et les femmes de ces marins, ou les mères, étaient toutes présentes pour l'appareillage.[1]

Gaud n'avait jamais assisté de près à ces scènes, à ces adieux. Tout cela était nouveau et inconnu. Parmi ces femmes, elle n'avait point de pareille et se sentait isolée, différente ; son passé de *demoiselle,* qui subsistait malgré tout, la mettait à part.

Le temps était resté beau ce jour des séparations ; au large seulement une grosse houle lourde arrivait de l'ouest, annonçant du vent, et de loin on voyait la mer, qui attendait tout ce monde, briser dehors.

Les navires sortaient deux par deux, quatre par quatre, traînés dehors par des remorqueurs. Et alors, dès qu'ils s'ébranlaient, les matelots, découvrant leur tête, entonnaient à pleine voix le cantique de la Vierge : « Salut,[2] Étoile-de-la-mer ! » sur le quai, des mains de femmes s'agitaient en l'air pour de derniers adieux, et des larmes coulaient sur les mousselines des coiffes.

Dès que la *Marie* fut partie, Gaud s'achemina d'un pas rapide vers la maison des Gaos. Une heure et demie de marche le long de la côte, par les sentiers familiers de Ploubazlanec, et elle arriva là-bas, tout au bout des terres, dans sa famille nouvelle.

La *Marie* devait mouiller en grande rade[1] devant
ce Pors-Even, et n'appareiller définitivement que le
soir, c'était donc là qu'ils s'étaient donné un dernier
rendez-vous. En effet, il revint, dans la yole de son
navire; il revint pour trois heures lui faire ses adieux.

A terre, où on ne sentait point la houle, c'était toujours le même beau temps printanier, le même ciel
tranquille. Ils sortirent un moment sur la route, en
se donnant le bras. Ils marchaient sans but, en re-
broussant vers Paimpol, et bientôt se trouvèrent près
de leur maison, ramenés là insensiblement sans y avoir
pensé; ils entrèrent donc encore une dernière fois
chez eux, où la grand'mère Yvonne fut saisie de les
voir reparaître ensemble.

Yann faisait des recommandations à Gaud pour différentes petites choses qu'il laissait dans leur armoire;
surtout pour ses beaux habits de noces : les déplier
de temps en temps et les mettre au soleil. — A bord
des navires de guerre les matelots apprennent ces
soins-là. — Et Gaud souriait de le voir faire son entendu;[2] il pouvait être bien sûr pourtant que tout
ce qui était à lui serait conservé et soigné avec amour.

D'ailleurs, ces préoccupations étaient secondaires
pour eux; ils en causaient pour causer, pour se donner
le change à eux-mêmes.[3]

Yann raconta qu'à bord de la *Marie,* on venait de
tirer au sort les postes de pêche et que, lui, était très
content d'avoir gagné l'un des meilleurs. Elle se fit
expliquer cela encore, ne sachant presque rien des
choses d'Islande :

« Vois-tu, Gaud,» dit-il, « sur le pont de nos navires,
il y a des trous qui sont percés à certaines places;

c'est pour y planter des petits supports à rouet dans lesquels nous passons nos lignes. Donc, avant de partir, nous jouons ces trous-là aux dés, ou bien avec des numéros brassés[1] dans le bonnet du mousse. Chacun de nous gagne le sien et, pendant toute la campagne après, l'on n'a plus le droit de planter sa ligne ailleurs, l'on ne change plus. Eh bien, mon poste à moi se trouve sur l'arrière du bateau, qui est, comme tu dois savoir, l'endroit où l'on prend le plus de poissons ; et puis il touche aux grands haubans où l'on peut toujours attacher un bout de toile, un *cirage*, enfin un petit abri quelconque, pour la figure, contre toutes ces neiges ou ces grêles de là-bas ; — cela sert, tu comprends ; on n'a pas la peau si brûlée, pendant les mauvais grains noirs, et les yeux voient plus longtemps clair.»

Ils se parlaient bas, bas, comme par crainte d'effaroucher les instants qui leur restaient, de faire fuir le temps plus vite. Leur causerie avait le caractère à part[2] de tout ce qui va inexorablement finir ; les plus insignifiantes petites choses qu'ils se disaient semblaient devenir ce jour-là mystérieuses et suprêmes.[3]

A la dernière minute du départ, Yann enleva sa femme entre ses bras et ils se serrèrent l'un contre l'autre sans plus rien se dire, dans une longue étreinte silencieuse.

Il s'embarqua, les voiles grises se déployèrent pour se tendre à un vent très léger qui se levait de l'ouest. Lui, qu'elle reconnaissait encore, agita son bonnet d'une manière convenue. Et longtemps elle regarda, en silhouette sur la mer, s'éloigner son Yann. — C'était lui encore, cette petite forme humaine debout, noire

sur le bleu cendré des eaux, — et déjà vague, vague,
perdue dans cet éloignement où les yeux qui persistent
à fixer se troublent et ne voient plus.

A mesure que s'en allait cette *Marie,* Gaud comme
5 attirée par un aimant, suivait à pied le long des
falaises.

Il lui fallut s'arrêter bientôt, parce que la terre était
finie; alors elle s'assit, au pied d'une dernière grande
croix, qui est là plantée parmi les ajoncs et les pierres.
10 Comme c'était un point élevé, la mer vue de là semblait
avoir des lointains qui montaient, et on eût dit que
cette *Marie,* en s'éloignant, s'élevait peu à peu, toute
petite, sur les pentes de ce cercle immense. Les eaux
avaient de grandes ondulations lentes, — comme les
15 derniers contre-coups[1] de quelque tourmente formidable qui se serait passée ailleurs, derrière l'horizon;
mais, dans le champ profond de la vue, où Yann était
encore, tout demeurait paisible.

Gaud regardait toujours, cherchant à bien fixer
20 dans sa mémoire la physionomie de ce navire, sa silhouette de voilure et de carène,[2] afin de le reconnaître
de loin, quand elle reviendrait, à cette même place,
l'attendre.

Des levées[3] énormes de houle continuaient d'arriver
25 de l'ouest, régulièrement l'une après l'autre, sans arrêt, sans trêve,[4] renouvelant leur effort inutile, se
brisant sur les mêmes rochers, déferlant aux mêmes
places pour inonder les mêmes grèves. Et, à la
longue, c'était étrange, cette agitation sourde[5] des
30 eaux avec cette sérénité de l'air et du ciel; c'était
comme si le lit des mers, trop rempli, voulait déborder et envahir les plages.

Cependant la *Marie* se faisait de plus en plus dimi-
nuée, lointaine, perdue. Des courants sans doute
l'entraînaient, car les brises de cette soirée étaient
faibles et pourtant elle s'éloignait vite. Devenue une
petite tache grise, presque un point, elle allait bientôt 5
atteindre l'extrême bord du cercle des choses visibles,
et entrer dans ces au delà[1] infinis où l'obscurité commençait à venir.

Quand il fut sept heures du soir, la nuit tombée,
le bateau disparu, Gaud rentra chez elle, en somme[2] 10
assez courageuse, malgré les larmes qui lui venaient
toujours. Quelle différence, en effet, et quel vide
plus sombre s'il était parti encore comme les deux
autres années, sans même un adieu! Tandis qu'à
présent tout était changé, adouci; il était tellement 15
à elle, son Yann, elle se sentait si aimée malgré ce
départ, qu'en s'en revenant toute seule au logis, elle
avait au moins la consolation et l'attente délicieuse
de cet *au revoir* qu'ils s'étaient dit pour l'automne.

XIV

L'ÉTÉ passa, triste, chaud, tranquille. Elle, guet- 20
tait les premières feuilles jaunies, les premiers ras-
semblements d'hirondelles, la pousse des chrysanthèmes.

Par les paquebots de Reickawick et par les chasseurs, elle lui écrivit plusieurs fois; mais on ne sait 25
jamais bien si ces lettres arrivent.

A la fin de juillet, elle en reçut une de lui. Il
l'informait qu'il était en bonne santé à la date du

10 courant, que la saison de la pêche s'annonçait excellente[1] et qu'il avait déjà 1500 poissons pour sa part.   D'un bout à l'autre, c'était dit dans le style naïf et calqué sur le modèle uniforme de toutes les
5 lettres de ces Islandais à leur famille.   Les hommes élevés comme Yann ignorent absolument la manière d'écrire les mille choses qu'ils pensent, qu'ils sentent ou qu'ils rêvent.   Étant plus cultivée que lui, elle sut donc faire la part[2] de cela et lire entre les lignes la
10 tendresse profonde qui n'était pas exprimée.   A plusieurs reprises, dans le courant de ses quatre pages, il lui donnait le nom d'épouse, comme trouvant plaisir à le répéter.   Et d'ailleurs, l'adresse seule : *A Madame Marguerite Gaos, maison Moan, en Ploubazlanec* était
15 déjà une chose qu'elle relisait avec joie.   Elle avait encore eu si peu le temps d'être appelée : *Madame Marguerite Gaos !* . . .

Elle travailla beaucoup pendant ces mois d'été. Les Paimpolaises, qui d'abord s'étaient méfiées de
20 son talent d'ouvrière improvisée,[3] disant qu'elle avait de trop belles mains de demoiselle, avaient vu, au contraire, qu'elle excellait à leur faire des robes qui avantageaient la tournure ;[4] alors elle était devenue presque une couturière en renom.

25 Ce qu'elle gagnait passait à embellir le logis — pour son retour.   L'armoire, les vieux lits à étagères étaient réparés, cirés, avec des ferrures luisantes ; elle avait arrangé leur lucarne sur la mer avec une vitre et des rideaux ; acheté une couverture neuve pour l'hiver,
30 une table et des chaises.

Tout cela, sans toucher à l'argent que son Yann lui avait laissé en partant et qu'elle gardait intact, dans une petite boîte chinoise, pour le lui montrer à son arrivée.

Pendant les veillées d'été, aux dernières clartés des jours, assise devant la porte avec la grand'mère Yvonne dont la tête et les idées allaient sensiblement mieux pendant les chaleurs, elle tricotait pour Yann un beau maillot[1] de pêcheur en laine bleue; il y avait, aux bordures du col et des manches, des merveilles de points[2] compliqués et ajourés;[3] la grand'mère Yvonne, qui avait été jadis une habile tricoteuse, s'était rappelé peu à peu ces procédés de sa jeunesse pour les lui enseigner. Et c'était un ouvrage qui avait pris beaucoup de laine, car il fallait un maillot très grand pour Yann.

Cependant, le soir surtout, on commençait à avoir conscience de l'accourcissement des jours. Certaines plantes, qui avaient donné toute leur pousse[4] en juillet, prenaient déjà un air jaune, mourant, et les scabieuses violettes refleurissaient au bord des chemins, plus petites sur de plus longues tiges; enfin les derniers jours d'août arrivèrent, et un premier navire islandais apparut un soir, à la pointe de Pors-Even. La fête du retour était commencée.

On se porta en masse sur la falaise pour le recevoir; — lequel était-ce?

C'était le *Samuel Azénide;* — toujours en avance celui-là.

« Pour sûr,» disait le vieux père d'Yann, « la *Marie* ne va pas tarder; là-bas, je connais ça, quand un commence à partir, les autres ne tiennent plus en place.»

Ils revenaient, les Islandais. Deux la seconde journée, quatre le surlendemain; et puis douze la semaine suivante. Et, dans le pays, la joie revenait avec eux, et c'était fête chez les épouses, chez les mères; fête aussi dans les cabarets, où les belles filles paimpolaises servent à boire aux pêcheurs.

5 La *Marie* restait du groupe des retardataires; il en manquait encore dix. Cela ne pouvait tarder, et Gaud, à l'idée que, dans un délai extrême de huit jours qu'elle se donnait pour ne pas avoir de déception, Yann serait là, Gaud était dans une délicieuse ivresse d'attente, 10 tenant le ménage bien en ordre, bien propre et bien net, pour le recevoir.

Tout rangé, il ne lui restait rien à faire, et d'ailleurs elle commençait à n'avoir plus la tête à grand' chose[1] dans son impatience.

15 Trois des retardataires arrivèrent encore, et puis cinq. Deux seulement manquaient toujours à l'appel.

« Allons,» lui disait-on en riant, « cette année, c'est la *Léopoldine* ou la *Marie* qui *ramasseront les balais du retour.*»[2]

20 Et Gaud se mettait à rire, elle aussi, plus animée et plus jolie, dans sa joie de l'attendre.

Cependant les jours passaient.

Elle continuait de se mettre en toilette, de prendre un air gai, d'aller sur le port causer avec les autres. 25 Elle disait que c'était tout naturel, ce retard. Est-ce que cela ne se voyait pas chaque année? Oh! d'abord, de si bons marins, et deux si bons bateaux!

Ensuite, rentrée chez elle, il lui venait le soir de premiers petits frissons d'anxiété, d'angoisse.

30 Est-ce que vraiment c'était possible, qu'elle eût peur, si tôt? . . . Est-ce qu'il y avait de quoi?[3]

Et elle s'effrayait, d'avoir déjà peur.

Le 10 du mois de septembre! Comme les jours s'enfuyaient!

Un matin où il y avait déjà une brume froide sur la terre, un vrai matin d'automne, le soleil levant la trouva assise de très bonne heure sous le porche de la chapelle des naufragés, au lieu où vont prier les veuves; — assise, les yeux fixes, les tempes serrées comme dans un anneau de fer.

Depuis deux jours, ces brumes tristes de l'aube avaient commencé, et ce matin-là Gaud s'était réveillée avec une inquiétude plus poignante, à cause de cette impression d'hiver... Qu'avait donc cette journée, cette heure, cette minute, de plus que les précédentes?... On voit très bien des bateaux retardés de quinze jours, même d'un mois.

Des pas dans le sentier! — Quelqu'un venait? — Alors elle se leva, bien droite; d'un tour de main,[1] rajusta sa coiffe, se composa une figure.[2] Les pas se rapprochaient, on allait entrer. Vite elle prit un air d'être là par hasard, ne voulant pas encore, pour rien au monde, ressembler à une femme de naufragé.

Justement c'était Fante Floury, la femme du second[3] de la *Marie*. Elle comprit tout de suite, celle-ci, ce que Gaud faisait là; inutile de feindre avec elle. Et d'abord elles restèrent muettes l'une devant l'autre, les deux femmes, épouvantées davantage et s'en voulant de s'être rencontrées dans un même sentiment de terreur, presque haineuses.

«Tous ceux de Tréguier et de Saint-Brieuc sont rentrés depuis huit jours,» dit enfin Fante, impitoyable, d'une voix sourde et comme irritée.

Elle apportait un cierge pour faire un vœu.

Ah! oui! un vœu. Gaud n'avait pas encore voulu y songer, à ce moyen des désolées. Mais elle entra dans la chapelle derrière Fante, sans rien dire, et elles
5 s'agenouillèrent près l'une de l'autre[1] comme deux sœurs.

A la Vierge, Étoile-de-la-mer, elles dirent des prières ardentes, avec toute leur âme. Et puis bientôt on n'entendit plus qu'un bruit de sanglots, et leurs
10 larmes pressées commencèrent à tomber sur la terre.

Elles se relevèrent plus douces, plus confiantes. Fante aida Gaud qui chancelait, et, la prenant dans ses bras, l'embrassa.

Ayant essuyé leurs larmes, arrangé leurs cheveux,
15 épousseté le salpêtre[2] et la poussière des dalles sur leur jupon à l'endroit des genoux, elles s'en allèrent sans plus rien se dire, par des chemins différents.

XV

Deux heures du matin.

C'était la nuit surtout qu'elle se tenait attentive à
20 tous les pas qui s'approchaient; à la moindre rumeur, au moindre son inaccoutumé, ses tempes vibraient; à force d'être tendues aux choses du dehors, elles étaient devenues affreusement douloureuses.

Deux heures du matin. Cette nuit-là comme les
25 autres, les mains jointes et les yeux ouverts dans l'obscurité, elle écoutait le vent faire sur la lande son bruit presque éternel.

Des pas d'homme tout à coup, des pas précipités

dans le chemin! A pareille heure, qui pouvait passer?
Elle se dressa, remuée jusqu'au fond de l'âme, son
cœur cessant de battre. . . .

On s'arrêtait devant la porte, on montait les petites
marches de pierre.   5

Lui! Oh! joie du ciel, lui! On avait frappé, est-
ce que ce pouvait être un autre! Elle était debout,
pieds nus; elle, si faible depuis tant de jours, avait
sauté lestement comme les chattes, les bras ouverts
pour enlacer le bien-aimé. Sans doute la *Marie* était 10
arrivée de nuit, et mouillée en face dans la baie de
Pors-Even, — et lui, il accourait; elle arrangeait tout
cela dans sa tête avec une vitesse d'éclair. Et maintenant, elle se déchirait les doigts aux clous de la
porte, dans sa rage[1] pour retirer ce verrou qui était 15
dur.

Ah!. . . . Et puis elle recula lentement, affaissée,
la tête retombée sur la poitrine. Son beau rêve de
folle[2] était fini. Ce n'était que Fantec, leur voisin. . .
Le temps[3] de bien comprendre que ce n'était que lui, 20
que rien de son Yann n'avait passé dans l'air, elle
se sentit replongée comme par degrés dans son même
gouffre,[4] jusqu'au fond de son même désespoir af-
freux.

Il s'excusait, le pauvre Fantec: sa femme, comme 25
on savait, était au plus mal, et à présent, c'était leur
enfant qui étouffait dans son berceau, pris d'un mauvais mal de gorge; aussi il était venu demander du
secours, pendant que lui irait d'une course[5] chercher
le médecin à Paimpol.   30

Qu'est-ce que tout cela lui faisait,[6] à elle? Devenue sauvage dans sa douleur, elle n'avait plus rien

à donner aux peines des autres. Effondrée sur un
banc, elle restait devant lui les yeux fixes, comme
une morte, sans lui répondre, ni l'écouter, ni seulement le regarder. Qu'est-ce que cela lui faisait, les
5 choses que racontait cet homme ?

Lui comprit tout alors ; il devina pourquoi on lui
avait ouvert cette porte si vite, et il eut pitié pour le
mal qu'il venait de lui faire.

Il balbutia un pardon :

10 C'était vrai, qu'il n'aurait pas dû la déranger —
elle !

« Moi ! » répondit Gaud vivement, « et pourquoi
donc *pas moi*, Fantec ?

La vie lui était revenue brusquement car elle ne
15 voulait pas encore être une désespérée aux yeux des
autres, elle ne le voulait absolument pas. Et puis, à
son tour, elle avait pitié de lui ; elle s'habilla pour
le suivre et trouva la force d'aller soigner son petit
enfant.

20 Quand elle revint se jeter sur son lit, à quatre
heures, le sommeil la prit un moment parce qu'elle
était très fatiguée.

Mais cette minute de joie immense avait laissé dans
sa tête une empreinte qui, malgré tout, était per-
25 sistante ; elle se réveilla bientôt avec une secousse, se
dressant à moitié, au souvenir de quelque chose...
Il y avait eu du nouveau concernant son Yann...
Au milieu de la confusion des idées qui revenaient,
vite elle cherchait dans sa tête, elle cherchait ce que
30 c'était.

« Ah ! rien, hélas ! non, rien que Fantec. »

Et une seconde fois, elle retomba tout au fond de
son même abîme. Non, en réalité, il n'y avait rien
de changé dans son attente morne et sans espérance.

Pourtant, l'avoir senti là si près, c'était comme si
quelque chose émané de lui était revenu flotter alen-   5
tour ; c'était ce qu'on appelle, au pays breton, un
pressigne ;[1] et elle écoutait plus attentivement les pas
du dehors, pressentant que quelqu'un allait peut-être
arriver qui parlerait de lui.

En effet, quand il fit jour, le père de Yann entra. 10
Il ôta son bonnet, releva ses beaux cheveux blancs,
qui étaient en boucles comme ceux de son fils, et
s'assit près du lit de Gaud.

Il avait le cœur angoissé, lui aussi ; car son Yann,
son beau Yann était son aîné, son préféré, sa gloire. 15
Mais il ne désespérait pas, non vraiment, il ne désespérait pas encore. Il se mit à rassurer Gaud d'une
manière très douce : d'abord les derniers rentrés d'Islande parlaient tous de brumes très épaisses qui
avaient bien pu retarder le navire ; et puis surtout il 20
lui était venu une idée : une relâche aux îles Feroë,[2]
qui sont des îles lointaines situées sur la route et d'où
les lettres mettent très longtemps à venir ; cela lui
était arrivé à lui-même, il y avait une quarantaine
d'années et sa pauvre défunte mère avait déjà fait 25
dire une messe pour son âme... Un si bon bateau,
la *Marie*, et de si forts marins qu'ils étaient tous à
bord.

La vieille Moan rôdait autour d'eux tout en hochant
la tête ; la détresse de sa petite-fille lui avait presque 30
rendu de la force et des idées ; elle rangeait le ménage,
regardant de temps en temps le petit journal jauni de

son Sylvestre accroché au granit du mur, avec ses
ancres de marine et sa couronne funéraire en perles
noires ; non, depuis que le métier de mer lui avait pris
son petit-fils, à elle, elle n'y croyait plus, au retour
5 des marins ; elle ne priait plus la Vierge que par
crainte, du bout de ses pauvres vieilles lèvres,[1] lui
gardant une mauvaise rancune dans le cœur.

Mais Gaud écoutait avidement ces choses consol-
antes, ses grands yeux cernés regardaient avec une
10 tendresse profonde ce vieillard qui ressemblait au
bien-aimé ; rien[2] que de l'avoir là, près d'elle, c'était
une protection contre la mort, et elle se sentait plus
rassurée, plus rapprochée de son Yann. Ses larmes
tombaient, silencieuses et plus douces, et elle redisait
15 en elle-même ses prières ardentes à la Vierge, Étoile-
de-la-mer.

Une relâche là-bas, dans ces îles, pour des avaries
peut-être ; c'était une chose possible en effet. Elle
se leva, lissa ses cheveux, fit une sorte de toilette,
20 comme s'il pouvait revenir. Sans doute tout n'était
pas perdu, puisqu'il ne désespérait pas, lui, son père.
Et, pendant quelques jours, elle se remit encore à
attendre.

C'était bien l'automne, l'arrière-automne,[3] les tom-
25 bées de nuit lugubres où, de bonne heure, tout se
faisait noir dans la vieille chaumière, et noir aussi
alentour, dans le vieux pays breton.

Les jours eux-mêmes semblaient n'être plus que des
crépuscules ; des nuages immenses, qui passaient lente-
30 ment, venaient faire tout à coup des obscurités en
plein midi. Le vent bruissait constamment, c'était
comme un son lointain de grandes orgues d'église,

jouant des airs méchants[1] ou désespérés ; d'autres fois
cela se rapprochait tout près contre la porte, se mettant
à rugir comme les bêtes.

Elle était devenue pâle, pâle, et se tenait toujours
plus affaissée, comme si la vieillesse l'eût déjà frôlée 5
de son aile chauve. Très souvent elle touchait les
effets de son Yann, ses beaux habits de noces, les
dépliant, les repliant comme une maniaque, — surtout
un de ses maillots en laine bleue qui avait gardé la
forme de son corps ; quand on le jetait doucement 10
sur la table, il dessinait de lui-même, comme par habitude, les reliefs de ses épaules et de sa poitrine ; aussi
à la fin elle l'avait posé tout seul dans une étagère de
leur armoire, ne voulant plus le remuer pour qu'il
gardât plus longtemps cette empreinte.   15

Chaque soir, des brumes froides montaient de la
terre ; alors elle regardait par sa fenêtre la lande
triste, où des petits panaches de fumée blanche commençaient à sortir çà et là des chaumières des autres :
là partout les hommes étaient revenus, oiseaux voya- 20
geurs ramenés par le froid. Et, devant beaucoup de
ces feux, les veillées devaient être douces ; car le
renouveau[2] d'amour était commencé avec l'hiver dans
tout ce pays des Islandais...

Cramponnée à l'idée de ces îles où il avait pu re- 25
lâcher, ayant repris une sorte d'espoir, elle s'était
remise à l'attendre...

*   *   *   *   *   *

XVI

I̶L̶ ne revint jamais.

Une nuit d'août, là-bas, au large de la sombre Islande, au milieu d'un grand bruit de fureur, avaient été célébrées ses noces avec la mer.[1]

5   Et à ses noces, ils y étaient tous, ceux qu'il avait conviés jadis.   Tous, excepté Sylvestre, qui, lui, s'en était allé dormir dans des jardins enchantés, — très loin, de l'autre côté de la Terre.

NOTES

Page 1. — *1*. **Islande,** *Iceland.*

2 **accoudés à boire,** *drinking, with their elbows (coudes) on the table.*

3. **saumure,** usually "brine," here *salt fish.*

4. **ce devait être,** *it must have been.*

5. **trop** is often found in connection with negative *savoir* in the sense of *exactly.*

6. **de quoi se couler autour,** *enough (space) to slip (or pass) around the table.*

Page 2. — *1*. **Ils avaient bu dans,** the well-known idiom, according to which is said *fumer dans une pipe, prendre quelque chose dans un tiroir, sur la table,* etc.

2. **aussi** at the beginning of a phrase or sentence means "thus," "therefore"; *not* "also."

3. **une sainte vierge en faïence,** notice the small initial of *vierge,* since only an image of *la sainte Vierge* is spoken of.

4. **elle avait dû écouter,** *she must have heard.* Since the English "ought" has no participle, such verb phrases can never be translated literally.

5. **torse,** *body.*

6. **suroît,** "sou'-wester." A kind of hat worn by sailors.

Page 3. — *1*. **l'infinie désolation.** The rule would require the adjective after the noun; a rule not always followed even by good writers. The position here is emphatic.

2. **Bretons,** inhabitants of Brittany, in the western part of France.

3. **l'homme;** the definite article before a noun in the vocative is colloquial, always familiar, sometimes contemptuous.

Page 4. — 1. **comme,** *as it were.*

2. **sauvage et superbe;** the adjective *sauvage* never has the meaning of "savage." It denotes the shyness, rather than the savage nature of wild things; *superbe* has here a little of both meanings, viz., "haughty" and "superb."

3. **plus de place,** because his mouth was large.

4. **frisées très serré,** *very tightly curled.* Note adverbial use of adjective.

5. **que personne n'a touchés;** *toucher* is often construed with *à,* which would also be correct here.

6. While lighting the pipes he took a few "pulls" at each one and thus "*fumait un peu.*"

7. **un peu le cousin,** *a sort of a cousin.*

Page 5. — 1. **dans son verre,** cf. page 2, note 1.

2. **l'Assomption;** *enlèvement miraculeux de la Vierge Marie au ciel par les anges.* The Festival of the Assumption is devoutly celebrated by Catholics. It occurs August 15.

3. **pays** is here used in the sense which comes nearest to its etymological signification (Lat. *pagus*), the district, town, village, etc., where one is born.

4. **éternellement jour;** they were in the Arctic regions, where, in summer, daylight lasts for several months.

5. **pâle, pâle,** the adjective emphasized by repetition, as is quite common in colloquial French.

6. **ce qui devait être,** page 1, note 4.

7. **cela . . . n'aurait.** The vagueness of the picture is artistically touched off by *cela* instead of *elle,* and further by *n'aurait* instead of *n'avait,* a refinement which English cannot imitate. The words **d'abord, en se prolongeant, et puis** mark three different stages of distance from the ship. Render by *quite close, further on, beyond.*

8. **ayant . . conscience,** *being conscious.*

9. **ces pâleur;** the plural of abstract nouns denoting qualities is not uncommon in French, especially in elevated style. *Blancheurs, rondeurs,* are often met with.

Page 6. — 1. **large,** *open sea.*

2. **Bretagne,** cf. page 3, note 2.

3. **à peine . . . ils les relevèrent;** *que* is omitted before *ils* by a license not to be imitated.

4. **vives,** *lively.* — **se faisaient prendre,** *allowed themselves to be caught.*

5. **saumure,** cf. page 1, note 3.

6. **c'est sûr que tu devrais,** colloquial *you ought really.*

Page 7. — 1. **en touchant à,** cf. page 4, note 5.

2. **du pays,** before **ce sera** supply *si je me marie.*

3. **banc,** *shoal, school.*

4. **la nuit d'avant;** if an adverb in French is to qualify a noun attributively, it is generally connected with the noun by the preposition *de.* The adverb thus assumes a substantival character, and, taken together with *de,* becomes equivalent to an adjective.

5. **en plein sommeil;** the adjective *plein* is used in a great many idioms to denote that something is *in the midst of:* e.g. *en plein hiver, en pleine Bretagne, en plein air.*

6. **Genèse;** see Genesis i. 4. — **séparée d'avec,** in ordinary prose *de* alone would be used.

7. **en y voyant si clair,** *since you saw so clearly.* Notice the idiomatic use of *y* with *voir;* omit in translating.

Page 8. — 1. **percées,** *openings.*

2. **découpure rosée,** *rose-colored outline.*

3. **Paimpol,** a town on the north coast of Brittany.

4. **cinq années;** *année,* rather than *an,* is used here on account of the preceding *cet exil,* the rule being to use *année* when the year is qualified by an epithet. The reference is to the obligatory military service.

Page 9. — 1. **en se dandinant,** *walking with a swinging gait.*

2. **du bord;** *bord* is often used in French for *ship.* — **terre-neu-vien,** *Newfoundland* (*Terre-Neuve*).

3. **sauvage,** not "savage," but *rough, uncouth;* cf. page 4, note 2.

Page 10. — 1. **Tréguier,** a Breton fishing town near Paimpol.

2. **les cantiques de Marie Étoile-de-la-Mer,**

> " Ave Maris Stella,
> Salve Regina,
> Regina Coeli,
> Gloriosa Domina ! "

"Star of the Sea" is, with sailors, a favorite epithet of the Virgin Mary.

Page 11. — 1. large, cf. page 6, note 1.

2. **Golfe de Gascogne,** *Bay of Biscay.*

3. **marais salants,** on the southwest coast of France salt is made by evaporating sea-water.

4. **le pays de Goëlo** is the region about Tréguier and Paimpol.

Page 12. — 1. **jeunette,** diminutive of *jeune,* and, like many diminutives, used as a term of endearment, with a shade of sympathetic pity, such as one feels for the very young or the very old.

2. **par exemple** has, in colloquial French, come to be an interjection expressive of surprise or incredulity; translate *indeed.*

3. **pommette** means, strictly speaking, "the cheek bone"; but is, by extension, used in the sense of *joue,* "cheek."

4. **vieillard,** *au pluriel, se dit des deux sexes.*

5. **plus rien** emphasizes *plus* in the line above. It may be omitted, or translated *none at all.*

6. **petit air;** this diminutive is characteristic of the loving pity with which the author draws the touching figure of Yvonne throughout the book.

7. **en pointe de sabot,** the *sabot* being turned upward at the toe.

8. **Moan, Sylvestre;** the working classes in France often put the Christian name after the family name.

Page 13. — 1. **Reickawick,** or *Reykjavik,* the capital of Iceland.

2. **C'est-il,** popular colloquialism for *est-ce.*

3. **gris de lin;** the author refers to the soft, lustrous color of flax when it is ready for spinning.

4. **s'y appliquant,** etc., *close-fitting, almost like a head band.*

5. **prêtait,** not *donnait,* as it did not belong to her by right.

6. **un peu forban,** *something of a pirate.* The author does not mean us to understand that Gaud's father was a regular sea-robber. M. Mével was no worse than a picker-up of sea trifles, who helped over the winter with smuggling and wrecking.

Page 14. — 1. **pardons,** *processions.* This is the name of certain pilgrimages undertaken in pious Brittany, either to pray for, or give thanks for, the success of some enterprise. These *pardons* are generally made the occasion for a popular *fête* or fair.

2. **bonjour,** *greeting; le bonjour de ma part au fils Gaos,* a more

fashionable correspondent would have said *mes compliments à M. Gaos fils,* or more cordially *mille amitiés de ma part,* etc.

3. **écriture courue** (more correctly *courante*), *running hand.*

4. **Gaud, Marguerite,** abbr. *Margot,* dim. *Margoton;* abbr. *Goton, Got* or *Gaud.*

5. **à l'abandon,** *left to herself.*

6. **dépeignée,** *uncombed, disheveled.*

Page 15. — 1. **la Manche,** *the English channel;* so called because of its shape.

2. **la richesse ni les villes;** the omission of the first *ni* is a license of style.

3. **Saint-Brieuc,** the chief town of the Department in which Paimpol is situated, is about twenty-five miles from the latter place.

4. **manquaient à l'appel,** *were missing;* "failed to answer at the roll call." They had been lost at sea.

Page 16. — 1. **pour tout à fait,** *for good.*

2. **bourgeois,** *independent gentleman.*

3. **proprette,** cf. page 12, note 1.

4. **Ploubazlanec** is the region, with a town of the same name, west of Paimpol.

5. **anciennes;** *ancienne* is used as a term implying respect, *vieille* often pityingly or contemptuously.

6. **tenue d'habillé,** "*Sunday best,*" an unusual expression.

7. **remonté,** *turned up;* cf. page 12, note 7.

8. **rien que dans les bonsoirs,** *merely by the greetings.*

Page 17. — 1. **en Chine;** the war here referred to was carried on between France and its "protectorates" in southeast Asia. What the book calls popularly *la Chine* is, correctly speaking, Cochin China, annexed by France in 1861.

Page 18. — 1. **de condition,** *in service, hired out.*

2. **faisait les cent pas,** *walked to and fro,* lit., "was making the 100 steps."

3. **les infinis,** *the infinite spaces.*

4. **Guingamp** is the railroad station nearest to Paimpol. It is distant about fifteen miles.

Page 19. — 1. **au petit jour . . . frisant encore l'obscurité,** *one very cold morning, at daybreak, in a white mist, when daylight was still struggling with darkness.*

2. **pardon des Islandais,** cf. page 14, note 1.

3. **de la Notre Dame,** the article is due to the fact that *fête* is understood.

4. **complaintes,** *ballads;* usually of a religious or tragic character.

5. **grouillement,** *swarm.*

Page 20. — 1. **lui,** colloquial or emphatic for *il;* here, *that one.*
2. **grand ami,** familiar, like English *great friend.*

Page 21. — 1. **belle tenue** means about the same as *tenue d'habillé,* cf. page 16, note 6.

2. **comme devant passer,** *which ought to pass.* See also page 2, note 4.

3. **au large d'Aurigny,** *in the open sea towards Alderney.* Alderney is one of the Channel Islands, northeast of Paimpol.

4. **branle-bas** in naval language is "clearing for action"; here, *turmoil, flurry.*

5. **à lui** (*peculiar*) *to himself.*

6. **lui,** cf. page 20, note 1.

Page 22. — 1. **pour,** "calculated to," *who could have.* — **appareillage,** *starting out* (of the fishing boats).

2. Before **sûr,** supply "I am," or "be!"

Page 23. — 1. **épave,** abandoned ship, *a wreck.*

2. **part faite à l'Etat,** *the Government having received its share.*

3. **Pour tout,** *in everything.*

Page 24. — 1. **sûr,** cf. page 22, note 2.

2. **torse,** cf. page 2, note 5.

3. **voilée,** *low, subdued.*

Page 25. — 1. **davantage à sa portée,** *more on his level.*

2. **y voyant clair,** cf. page 7, note 7.

3. **le vide,** translate freely by *the vault,* or *space.*

4. **se creuser,** *to expand.* — **s'élever,** *to rise.*

5. **se tenaient toutes en une seule découpure,** *were all blended in a single outline.*

Page 26. — 1. d'en avoir le cœur net (*nètt*), *to settle the matter;* lit. "to free her heart of it."

Page 27. — 1. onze heures, c'est très tard; a difficulty arises as to the number of the verb after phrases like *onze heures. Onze heures est tard* would be as objectionable as *onze heures sont tard.* The remedy is simple and effective.

2. l'autre versant plus noir, *the other, gloomier slope;* the decline.

3. glacé, *light;* lit., "chilly."

4. mer Boréale, *Arctic Ocean.*

5. calme blanc, *dead calm;* more commonly *calme plat.*

Page 28. — 1. Jean-François de Nantes, a sailor's "chanty," of which "Jean-François" is the refrain. "Chanties" are working songs, in which the refrain or chorus usually occurs in alternate lines. During the chorus the men pull. These "chanties" do not finish, because the "chanty man" goes on extemporizing till the work is done.

2. vierge, *fresh, new.*

3. plein leur poitrine, when *plein* thus stands, before its noun, it is invariable; after the noun, it is variable.

4. en long, *straight ahead;* lit., "lengthwise."

5. entre deux eaux; generally used in the phrase *nager entre deux eaux,* to swim so as to have water above and below, i.e., to swim under water, said of persons. Here, *near the surface.*

Page 29. — 1. à qui, for *à celui qui.*

2. pour la forme, *as a mere formality.*

3. les grisailles, *the monotonous gray.*

4. couvant, *smouldering.*

Page 30. — 1. à même l'atmosphère infinie, *with the boundless atmosphere itself.* Compare and contrast page 28, line 10, *à la source même de toute vigueur.* The meaning is the same.

2. vapeur, for *bateau à vapeur.*

3. j'ai idée. — The omission of the article is colloquial; also before *vieille grand'mère,* line 20.

4. marbrer, *to curl, to ruffle.*

Page 31. — 1. **ouates,** *wadding.* The mists looked like heaps of loose cotton. — **formant comme;** cf. page 4, note 1.

2. **Boulonnais, Dunkerquois,** men from *Boulogne, Dunkerque,* both in northern France.

3. **plus,** for *il n'y avait plus.*

4. **par en dessous,** *from below,* because the sun never rises far above the horizon. — **à regret,** *grudgingly.*

5. **s'accentuait,** *took shape.*

Page 32. — 1. **accusés,** *well defined.*

2. **stoppé,** a nautical term from English "stop."

3. **pléiade,** *group, cluster* (like the Pleiades).

4. **en coquilles de noix,** *like nut-shells (in shape). Noix* is what is popularly known as the English walnut.

5. **faux-pont,** *orlop* or *lower deck.*

6. **boucle,** *iron, fetter.*

7. **mes fils,** *my boys;* plural, as it follows *couche-toi* as an afterthought.

8. **Gaos,** *Yann;* cf. page 12, note 8.

9. **par,** *by way of.*

10. **le vaguemestre,** *ship's messenger.*

Page 34. — 1 **conduire** is here used in the sense of the colloquial *to see off.*

2. **quartier,** *camp, quarters.* — **Brest,** an important fortified town and seaport on the west coast of France.

3. **inscrits,** *enrolled* (for the navy).

Page 35. — 1. **n'en finissent plus,** *never come to an end.*

2. **à la part,** *on shares.*

3. **sauvagerie,** cf. page 4, note 2, and page 9, note 3.

4. **vois-tu;** Gaud and Sylvestre still *tutoient* each other, as they were children together.

5. **se reprenait,** *began again.*

6. **lui** for *il* because separated from verb; see also page 20, note 1.

Page 36. — 1. **calvaires,** *crosses;* really an elevation on which is placed a cross in imitation of Mount Calvary.

2. **de loin en loin,** *at considerable distances from each other.*

3. **au cidre chinois;** a combination of the national beverage of Brittany with the adjective "Chinese," which suggests the roving life of the sea-faring customers. *Au* should be understood as *at the sign of*.

4. **magot,** means originally "a monkey," and is often used to describe an ugly, ridiculous-looking person; more particularly, the well-known, grotesque china idols which nod their heads are called by this name.

5. **en robe vert et rose;** compound adjectives of color do not always agree with the noun.

6. **queues;** this refers, of course, to the well-known "pig-tail" of the Chinese.

7. **là-bas,** *there,* i.e., China.

8. **Christ,** *crucifix;* cf. page 36, note 1.

9. **fuyaient,** *disappeared.*

10. **Loguivy,** another Breton fishing village.

Page 37. — 1. **casier,** *fish-basket* or *net.*

2. **lui faisait des cheveux,** lit. "made hairs for it." The bare branches looked like disheveled hair.

Page 40. — 1. **cirages,** *oilskins, water-proofs.*

2. **là-bas,** *yonder,* i.e., Iceland.

3. **tenues de misère,** *garments of wretchedness;* alluding to the hard life of the fishermen.

4. **aménagé,** *arranged.*

5. **en armoire,** *like closets.*

Page 41. — 1. **épave,** cf. page 23, note 1.

Page 42. — 1. **comme un payement . . . cette vente,** *as a final settlement which would buy out his interest in the sale.*

2. **l'arrangeait,** *would suit her.*

Page 43. — 1. **ayant conscience,** cf. page 5, note 8.

2. **sage,** *steady, sober.*

3. **je ne dis pas,** elliptical colloquialism, *I don't mean to say that he does not go.*

4. **la soupe,** the French peasant is fond of calling his principal meal by the name of the principal dish served at it.

Page 44. — 1. bas-fond isolé, *lonely hollow.*

2. près l'un de l'autre, for *l'un près de l'autre.*

3. afin de le faire s'expliquer, i.e., explain his silence.

4. dans le fond, *at heart*, in reality.

Page 45. — 1. pays, *countrymen.*

2. de service, *on duty.*

3. enfant, *child-like, simple-minded.*

4. Formose, *Formosa,* an island off the coast of China.

5. ayant entendu dire à ceux qui, *having heard those say.*

6. faire son sac, *to pack your baggage.*

Page 47. — 1. sa belle robe (speaking relatively), *her best dress.*

2. elle avait été = elle était allée.

3. se changer, *to change his clothes.*

4. quatre à quatre refers to the number of steps cleared at each stride in running upstairs.

5. les liettes, a sailor's word for the laces or ribbons with which the shirt is laced in front.

6. en frisées menu, *tightly twisted* or *curled.*

7. lui aussi, *he also,* is colloquial or emphatic. — gabier, *topman,* the man in charge of the rigging.

Page 48. — 1. partie fine, *in strict privacy.*

2. breton, here, *dialect.*

3. autant dire, elliptical infinitive, *as much as to say.*

4. la veille des grands départs, *the day before starting on a long voyage.*

5. bordées, nautical slang for *drinking-bouts.*

6. Note the peculiar use of avoir with beau, meaning *to do* (or *try*) *in vain.*

Page 49. — 1. de, *for, on account of.*

2. jeunet; cf. page 12, note 1.

3. perdu, *bewildered.*

Page 50. — 1. lui, cf. page 20, note 1.

2. barrière, *gate,* at the entrance to the station.

3. troisième, supply *classe.*

Page 51. — 1. brûler les relâches, *to pass by the stopping-places.*

2. **d'un dépaysement extrême,** *of being an enormous distance from home.*

3. **Port-Saïd** is at the entrance to the Suez canal. — **à toucher** (three lines below), within touching distance, *near enough to touch.*

4. **sirène-à-vapeur,** *steam-whistle* is only a variety of the *sifflet.*

Page 52. — 1. **qui fuyait,** cf. page 36, note 9.

2. **coup de feu,** *turmoil;* lit., "fire."

3. **eux aussi,** cf. *lui aussi,* page 47, note 7.

4. **marbrures,** cf. page 30, note 4.   Note that they were in the *Red Sea.*

5. **le fond des lointains,** poetical for *le fond lointain.*

6. **points de repère,** *land marks.*

Page 53. — 1. **la Libye,** *Libya,* west of Egypt.

Page 54. — 1. **celles de Moïse,** see Exodus, chap. x.

2. **au ras,** *on the surface.*

3. **l'armement d'une baleinière,** *crew of a launch.*

Page 55. — 1. **bonshommes,** *mannikins.*

2. **magot,** cf. page 36, note 4.

3. **Singapour,** *Singapore,* an important seaport at the south east extremity of Asia.

4. **Tourane,** a promontory on the coast of Annam, which forms a harbor.

5. **pays,** cf. page 45, note 1.

Page 56. — 1. **non encore,** more commonly, *pas encore.*

2. **en avoir le cœur net;** see page 26, note 1.

Page 58. — 1. **faisaient les cent pas,** cf. page 18, note 2.

Page 59. — 1. **courrier,** *mail.*

2. **Ha-Long,** on the southern coast of China.

3. **vaguemestre,** cf. page 32, note 10.

4. **écolière,** *like a beginner's;* lit., "scholar's."

Page 60. — 1. **à une heure suprême de sa vie,** *at a solemn moment of his life.*

2. **feu,** *firing line.*

3. **Bac-Ninh, Hong Hoa,** towns in the interior of Tonquin.

4. **auprès de,** *compared with.*

5. **recueillis,** *meditative.*

6. **bien,** *plainly.*

7. **j'en suis,** *I am one of them.*

Page 61. — 1. **jeux,** *speculations.*

2. **mais tu dois bien penser,** *you may well imagine.*

3. **nous ne les marierons pas,** *we shall not succeed in marrying them.*

4. **pesant aux épaules,** the sense is: "The sky is overcast, the atmosphere oppressive."

Page 62. — 1. **dzinn** represents the sound of a bullet.

2. **flac,** the sound of a bullet striking the water.

3. **eux,** for *ils ;* like *lui* for *il.*

4. **Pavillons-Noirs,** *Blackflags,* i.e., native pirates.

5. **plus rasantes;** the Chinese evidently fired high at first, now their fire becomes more *rasant,* i.e., more nearly parallel to the horizon; therefore the bullets are now seen to *ricocher,* i.e., to rebound.

Page 63. — 1. **cornues** refers to the *horns,* peculiar to Chinese architecture.

2. **détrempée,** *soft.*

3. **ciels,** not *cieux,* in analogy to skies in pictures.

4. **feuillée,** *feuillage.*

5. **c'est égal,** *all the same.*

Page 64. — 1. **tenait tête à,** *opposed.*

2. **partie,** *game.*

3. **rasant le sol,** *hugging the ground.*

4. **non raisonnée,** *unreasoning.*

5. **pour le mettre en joue,** *to aim at him.*

Page 65. — 1. **une commotion,** *a shock.*

2. **la phrase consacrée,** viz., *par l'usage,* = *the standing phrase.*

3. **j'ai mon compte,** "I have my account"; i.e., *it is settled.*

4. **de l'air plein ses poumons,** cf. page 28, note 3.

5. **commissaire de l'inscription maritime,** the local officer of the naval department who keeps the register of those young men whose services may be required in the navy. Compulsory military

service, in France as well as in Germany, supplies not only the army, but also the navy with men. In both countries the young seafaring men, as well as those whose business is about ships, such as ship-wrights, sailmakers, serve generally in the navy.

Page 66. — 1. **délégation** is here a technical term, and denotes a certain portion of a sailor's pay, which is left in the hands of the authorities to provide for his family. English "half-pay."

2. **décompte**, *installment* (of wages).

3. **procure**, popular localism for *procuration*, "power of attorney."

4. **blanche**, *clean*.

5. **menu**, *with short, quick steps*.

6. **ras**, *smooth* (without leaves).

Page 67. — 1. **granit**, refers to the houses.

2. **un jour sur semaine**, provincial for *de semaine*, "week-day."

3. **mal venu** is said of children, animals, and plants, *stunted*. It is also used with reference to something which has not "come out well."

4. **pièces timbrées**, *stamped papers*. In France all legal or official papers bear the Government stamp.

5. **livret**, diminutive of *livre ;* the *livret de marin* is a little book in which the man's "character" is entered.

Page 68. — 1. **doctorale**, *cold and formal*.

2. He was **incomplet** in the sense that his reasoning powers were defective.

3. **chevrotement de vieillesse**, *in the tremulous tones of old age*.

4. **indifférente**, *meaningless*.

5. **se chavirait**, *gave way*.

Page 69. — 1. **mandat**, *order*.

2. **médaille militaire**, a medal given for distinguished services.

3. **tout d'une pièce**, *stiffly;* lit., "all of a piece."

Page 70. — 1. **contre la pierre ;** *la pierre* means here the *granite wall*.

2. **chasseur** is here the same as *vapeur ;* cf. page 30, note 2.

Page 71. — 1. **rapprochement**, *bond of sympathy*.

Page 72. — 1. **le quart,** *the watch,* so called, because it used formerly to last six hours, the quarter of the day.

2. **la relève,** *the relief* (for the man on deck).

3. **jusqu'à pleins bords,** *to overflowing.*

Page 73. — 1. **terre lointaine d'en dessous,** a popular way of expressing *the antipodes.*

2. **le vide,** *the wide waste.*

Page 74. — 1. **avaient peine à suffire,** *scarcely sufficed* (for the work).

2. **de ce coup.** *now;* lit., "at this stroke."

Page 75. — 1. **On prenait garde de respirer;** *prendre garde de,* followed by an infinitive, is "to be careful *not* to do a thing."

2. **se trémoussaient,** synonymous with *se débattant* in line 15 below. — **rageusement,** *madly.*

3. **d'affilée,** *in succession;* lit., "in a *file* or row."

4. **mousselines,** *veils.*

Page 76. — 1. **le lointain sourd,** *the soundless distance.*

2. **filées,** *spliced.*

3. **à ses heures,** i.e., "when he felt so disposed."

Page 77. — 1. **en grisaille,** cf. page 29, note 3.

Page 78. — 1. **à les toucher,** cf. page 51, note 3.

2. **mâts de rechange,** *spare masts* or *spars.*

3. **drôme** is a collective noun used to designate the extra timbers carried on deck for purposes of repair. Translate: *among the spare timbers.* — **de long et de solide** goes with *tout ce: everything long and firm.*

4. **Ohé! de la Marie;** supply *hommes.*

Page 79. — 1. **Aussi,** *Well!*

2. **et vous donc!** *and you, too!*

3. **mauvaise poison;** *poison,* in the literary language, is masculine. *Mauvaise poison* is a colloquial term for a person of bad reputation; translate *offscourings.*

4. **sous-entendre,** *hinting* or *insinuating.*

5. **en** is often used in French to express the material, as *une montre en or.* It is better omitted here.

6. **abord** here means the same as *rebord;* cf. page 78, line 7.

Page 80. — 1. **marqué,** popular for *appris, communiqué.*

2. **sur,** popular for *dans.*

3. **en journée,** *by the day. La journée* is also "a day's work" and "a day's wages"; whence the English "journeyman."

4. **falbalas,** *finery.*

Page 81. — 1. **tout d'une pièce** is here equivalent to *tout d'un coup;* translate *bodily.* Cf. also page 69, note 3.

Page 83. — 1. **qui repose;** the verb should be understood transitively, *which gives rest.*

2. **se faire,** *to become accustomed, reconciled.*

3. **le grand soleil** is "the hot sun."

4. **s'en revenait** for *rentrait;* an unusual expression, perhaps after the analogy of *s'en aller.*

Page 84. — 1. **les vieux christs,** cf. page 2, note 3.

2. **calvaires,** cf. page 36, note 1.

3. **se détachait . . . sur,** *stood out from.*

Page 85. — 1. **en journée,** cf. page 80, note 3.

Page 86. — 1. **en contre-bas de,** *below.*

2. **corde de navire,** *tarred rope.*

3. **égarés de vieillesse,** *with the wandering look of old age.*

Page 87. — 1. **me semblait,** colloquial for *il me semblait.*

2. The *Celts* were the original inhabitants of Brittany.

Page 88. — 1. **étagère d'armoire,** cf. page 40, note 5.

2. **brusquer,** *to hurry, hasten.*

3. **et qu'il s'en aperçût;** according to grammarians, *ne* should precede *s'en aperçût,* but recent writers not unfrequently disregard the rule as to the construction of terms of fearing, and this disregard is now sanctioned by the *arrêté* of Feb. 26, 1901.

Page 89. — 1. **une prière et une angoisse** may be translated as if it read *un regard de prière et d'angoisse.*"

2. **dépeignée,** cf. page 14, note 6.

Page 90. — 1. **jusqu'à ma porte qu'il a voulu;** the uneducated French are fond of an expletive *que* for emphasis: *Monsieur, que ie lui ai dit; mon vieux, qu'il m'a répondu,* etc. The construction in the speaker's mind is: *C'est jusqu'à ma porte qu'il a voulu*, etc. *Monsieur, c'est ce que je lui ai dit.*

2. **à mesure,** i.e., *à mesure que la vieille Moan parlait.*

3. **ameutés,** *collected,* like a pack of dogs (*meute*).

4. **traînée,** *draggled.*

Page 92. — 1. **l'avait recoiffée au milieu,** i.e., *had put her cap straight;* lit., "in the middle."

Page 93. — 1. **pour jolie,** *as to being pretty.*

2. **personne,** *anybody.*

Page 94. — 1. **rangé et honnête,** *orderly and respectable.*

2. **suprême,** "final," and, therefore, *solemn.*

Page 95. — 1. **se figer davantage,** *become more obstinate, confirmed.*

2. **devant moi,** *ahead.*

3. **qui,** *what; qui* usually refers to persons; "what" is commonly rendered by *qu'est-ce qui.*

Page 96. — 1. **refus sauvage** refers rather to his shyness in avoiding her than to any definite word or action. Cf. page 4, note 2.

2. **par exemple,** cf. page 12, note 2.

Page 97. — 1. **faire ça,** i.e., be married.

2. **en lui-même,** *mentally.*

3. **une grande semaine,** *a full week.*

4. **toujours,** *at any rate.*

5. **cour,** *courtship.*

Page 98. — 1. **par trop désolé,** *far too dilapidated; par trop* is the only remnant, in modern French, of the use of *par* before adjectives or adverbs in the sense of the Lat. *per-* in *permagnus,* i.e., "very great." Older French made a more extensive use of this combination.

Page 99. — 1. **tant repoussée,** cf. page 96, note 1.

2. **à mesure,** cf. page 90, note 2.

Page 100. — 1. **de raison;** the use of this preposition will be explained if *de raison* is put in its natural place after *donner,* when *en* becomes superfluous.

2. **il avait fait son têtu** is a more familiar form of *faire le têtu, to be obstinate; faire la tête dure,* line 24 below, means about the same thing.

3. **s'y était mis,** *has taken a hand at it.*

4. **mouvement,** *impulse.*

5. **des fois,** familiar for *quelquefois.*

6. **pendant des huit jours,** *for a week at a time.*

Page 101. — 1. **s'en revenait,** cf. page 83, note 4.

2. After **chargé** supply *de nuages.*

Page 102. — 1. **indistinctement,** *indiscriminately.*

2. **violonaire** is not a literary word; both *violiniste* and *violoniste* can be said, but neither would be suitable here, as they denote an artist on the violin; translate *fiddler.*

3. **à la diable,** *recklessly.* The feminine article is due to the fact that *manière* is understood.

4. **qui passionnait,** *caused quite a commotion among.*

Page 103. — 1. **gros temps,** *rough weather.*

2. **gerbes,** *jets* (of spray); lit., "sheaves."

3. **échelonné,** *in scattered groups.*

4. **musique** is here popularly used for the instrument: *Pack up your fiddle.*

Page 104. — 1. **femmes de peine,** *working women;* lit., "women of work."

2. **suroît,** cf. page 2, note 6.

3. **cirage,** cf. page 40, note 1. — **trousseau de campagne,** *clothing for the trip.*

Page 105. — 1. **appareillage,** cf. page 22, note 1.

2. **Salut,** *Hail!* cf. also page 10, note 2.

Page 106. — 1. **mouiller en grande rade,** *anchor in the open roadstead.*

2. **faire son entendu,** usually *faire l'entendu,* "to put on an air of knowledge." She thought she knew more about such matters than he did.

3. **pour se donner le change à eux-mêmes,** *to divert their own thoughts. Donner le change* is a hunting term, meaning "to throw the dogs off the scent."

Page 107. — 1. brassés, *shaken up.*

2. à part, *peculiar.*

3. suprêmes, cf. page 94, note 2.

Page 108. — 1. contre-coups, *swells;* lit., "rebounds," "reverberations."

2. carène, really "keel," is also used to denote the sides of a vessel down to the water-line; here *hull.*

3. levées . . . de houle, lit., "risings of surge," means the same as *contre-coups* in line 15 above.

4. trêve, *cessation;* lit., "truce."

5. sourde, *silent.*

Page 109. — 1. au delà is here used as a noun, "beyonds"; *ces au delà infinis, those boundless distances.*

2. en somme, *on the whole.*

Page 110. — 1. s'annonçait excellente, *promised well.*

2. faire la part de, *make allowance for.*

3. ouvrière improvisée, *amateur dressmaker.*

4. avantageaient la tournure, *improved the figure.*

Page 111. — 1. maillot (provincial in this sense), *a jersey.*

2. points, *stitches.*

3. ajourés, *embroidered* (with open work).

4. qui avaient donné toute leur pousse, *which had done all their growth,* or *growing.*

Page 112. — 1. elle commençait . . . à grand'chose (familiar), *her head was no longer good for much.*

2. ramasseront les balais du retour, "sweep up behind," i.e., *bring up the rear.*

3. de quoi, *cause, reason.*

Page 113. — 1. d'un tour de main, *by a rapid movement.*

2. se composa une figure, *put on a calm face.*

3. second, *mate* (second in command).

Page 114. — 1. près l'une de l'autre, cf. p. 44, note 2.

2. salpêtre, *saltpeter,* exudes from rocks and walls. The floor of the chapel was of stone, hence the saltpeter.

Page 115. — 1. rage, *fury*.

2. rêve de folle, is nearly the same as *fou rêve, wild dream*.

3. le temps; translate as if some such expression as *il ne lui fallut que* preceded.

4. son même gouffre, *her old abyss*.

5. lui irait d'une course, *he went on a run;* cf. page 20, note 1.

6. qu'est-ce que tout cela lui faisait? *what did all that matter to her?* — à elle merely repeats *lui* for emphasis.

Page 117. — 1. pressigne, *omen, presentiment*.

2. îles Feroë, *Faroe Islands*, north of Scotland.

Page 118. — 1. de ses lèvres, *with her lips*, but not with her heart.

2. rien que, *merely;* lit., "nothing but."

3. arrière-automne, *late autumn*.

Page 119. — 1. méchants, *cruel*.

2. renouveau, *springtime*, an antiquated word.

Page 120. — 1. ses noces avec la mer, cf. page 7, line 6, and following.

VOCABULARY

Words identical in French and English, as well as certain other words which students should not seek in a vocabulary, have been omitted, and discrimination and thought is expected of the student who consults the meanings of the words included.

A

à, at, by, in, into, about, from, like, of, to, with, on.
abaisser (s'), to lower, fall.
abandon; **à l'—**, at random.
abattre, to beat down; **s'—**, to fall.
abîme, *m.*, abyss.   [place.
abord (d'), at first, in the first
abri, *m.*, shelter, cover.
abrité, **-e**, sheltered.
absent, *m.*, absentee.
absolu, **-e**, absolute.
absolument, absolutely.
absorber, to absorb.
accablant, **-e**, overwhelming.
accablement, *m.*, oppression, heaviness.
accentuer, to accentuate.
accepter, to accept.
accès, *m.*, access.
accompagner, to accompany.
accomplir, to accomplish, finish.
accorder, to grant.
accouder (s'), to lean on one's elbow.   [on.
accoudoir, to lean the elbow up-
accourcissement, *m.*, shortening.
accourir, to run.
accoutrement, *m.*, dress, garb.
accoutumer, to accustom.
accrocher, to hook, hang; **s'—**, to hang on.

accueillir, to receive.
accumuler, to accumulate; **s'—**, to be accumulated.
accuser, to accuse, indicate.
acheminer (s'), to set out.
acheter, to buy; **s'—**, to buy for oneself.
achever, to finish, end.
acier, *m.*, steel.
acompte, *m.*, installment.
acquitter (s'), to perform, do.
âcre, sharp.
adapter, to adapt.
adieu, *m.*, farewell.
adjudant, *m.*, adjutant.
admirer, to admire.
adoptée, *f.*, adopted daughter.
adopter, to adopt.
adorablement, delightfully.
adoration, *f.*, admiration.
adorer, to adore.
adosser, to back up *or* lean against.
adoucir, to soften, relieve.
adresse, *f.*, address.
adresser, to address.   [ness.
affaire, *f.*, affair, matter, busi-
affairé, **-e**, full of business.
affaisser, to weaken.
affection, *f.*, love, affection.
affiler, to set, sharpen.
affirmer, to affirm.
affolement, *m.*, madness, infatuation, distraction.

affoler, to madden.

affreusement, frightfully.

affreu-x, -se, horrible, fearful.

affront, *m.*, outrage, affront.

afin, to, in order to, so that.

agacer, to tease, provoke.

agenouiller (s'), to kneel.

agile, nimble.

agir, to drive; **s'—**, to be in question.

agitation, *f.*, agitation, trouble.

agiter, to wave, agitate; **s'—**, to be waved, agitated.

agonie, *f.*, death struggle, agony.

agrandir, to make large, magnify.

aider, to help.

aigre, shrill.

aigu, -ë, sharp.

aiguille, *f.*, needle.

aiguiser, to sharpen.

aile, *f.*, wing, sail.

ailleurs, elsewhere.

ailleurs (d'), besides.

aimant, *m.*, magnet.

aimer, to love, like.

aîné, -e, elder.

ainsi, thus.

air, *m.*, air, appearance.

aisance, *f.*, ease.

aise, *f.*, ease.

aisé, -e, in easy circumstances.

ajonc, *m.*, thornbroom, gorse.

ajouré, -e, pierced.

ajouter, to add.

alanguir, to make languid.

alanguissement, *m.*, languidness.

alentir, to moderate, slacken.

alentour, round about.

alerte, lively, alert, vigilant.

algue, *f.*, seaweed.

alinéa, *m.*, paragraph.

aller, to go, move, come, act; **s'en —**, to go away.

allonger, to stretch; **s'—**, to lengthen.

aliumage, *m.*, lightning.

allumer, to light.

allure, *f.*, gait, behavior, manners.

aloi, *m.*, alloy, standard.

alors, then.

alourdir, to make dull.

alternativement, alternately.

amant, *m.*, **-e**, *f.*, lover.

amas, *m.*, heap, mass.

âme, *f.*, soul.

amélioration, *f.*, improvement.

aménager, to arrange.

amener, to take, bring.

amer, *m.*, bitterness.

am-er, -ère, bitter.

Amérique, *f.*, America.

ameuter, to gather.

ami, *m.*, **-e**, *f.*, friend.

amitié, *f.*, friendship, kindness.

amoindrir, to lessen.

amoncellement, *m.*, heap.

amortir, to deaden, moderate.

amour, *m.*, love.

amoureu-x, *m.*, **-se**, *f.*, lover, sweetheart.

amoureu-x, -se, loving.

amphithéâtre, *m.*, ampitheatre.

amulette, *f.*, charm.

amuser, to amuse; **s'—**, to amuse oneself; to have a good time.

an, *m.*, year.

ancêtre, *f.*, ancestor.

ancien, -ne, old, ancient.

ancienneté, *f.*, age.

ancre, *f.*, anchor.

anéantir, to destroy.

angle, *m.*, corner.

Angleterre, *f.*, England.   [tion.

angoisse, *f.*, pain, distress, afflic-

animer, to animate.

anneau, *m.*, ring.

année, *f.*, year.

annoncer, to announce; **s'—**, to make oneself known.

antique, old, ancient.

anxieu-x, -se, anxious.

août, *m.*, August.

apaiser, to calm.

apercevoir, to perceive; s'—, to find out, discover.

aplatir, to flatten; s'—, to become flat.

apparaître, to appear.

appareil, *m.*, display, preparation, pomp.

appareillage, *m.*, getting under way.

appareiller, to get under sail.

apparition, *f.*, apparition, appearance.

appartenir, to belong.

appel, *m.*, roll-call.

appeler, to call; s'—, to be called.

appliquer (s'), to apply oneself.

apporter, to bring.

apposer, to affix.

appréciation, *f.*, appreciation, estimation.

apprécier, to appreciate.

appréhension, *f.*, apprehension, fear.

apprendre, to learn.

approche, *f.*, approach.

approcher (s'), to advance.

approcher, to draw nigh, approach.

appui, *m.*, support, protection; window-sill.

appuyer, to lean, rest, rest upon, set upon.

âpre, harsh.

après, *prep.*, after, next.

après, *adv.*, afterwards.

arbre, *m.*, tree.

ardent, –e, ardent.

argent, *m.*, money, silver.

argenté, silvery.

aridité, *f.*, dryness.

armateur, *m.*, ship-owner.

arme, *f.*, arm, weapon.

armement, *m.*, armament.

armer, to arm.

armoire, *f.*, clothes-press.

arranger, to arrange, suit; s'—, to arrange oneself.

arrêt, *m.*, rest, stop.

arrêter, to stop; s'—, to rest, pause, stop.

arrière, *m.*, stern, rear.

arrière, behind; en —, backwards.

arrière-automne, *m.*, late autumn.

arrière-pensée, *m.*, afterthought.

arrivée, *f.*, arrival.

arriver, to arrive, reach, succeed, happen.

arrosage, *m.*, sprinkle.

art, *m.*, art, skill.

Asie, *f.*, Asia.

aspect, *m.*, countenance, aspect, sight.

aspiration, *f.*, aspiration; grande —, deep breath.

aspirer, to inhale.

assembler, to assemble.

asseoir, to seat; s'—, to be seated, sit down.

assez, enough, rather.

assiéger, to besiege.

assiettée, *f.*, plateful.

assister, to assist, be present.

assombrir (s'), to darken.

assommer, to overpower.

Assomption, *f.*, Assumption.

assuré, –e, sure, confident.

assurer, to assure.

astre, *m.*, star, heavenly body.

atroce, excruciating, cruel.

attabler, to place at table.

attacher, to attach, fasten, attach to.

attarder, to delay, linger; s'—, to be belated, linger.

atteindre, to reach.

attendre, to wait; s'—, to expect.

attendrir (s'), to grow tender.

attente, *f.*, waiting, expectation.

attenti–f, –ve, attentive.

attentivement, carefully.

atténuer, to mitigate, diminish.

atterrer, to overwhelm.

attirer, to draw, attract.

attraper, to catch.
attrister, to sadden, grieve.
attroupement, *m.*, mob.
aube, *f.*, dawn.
aubépine, *f.*, hawthorn.
auberge, *f.*, inn.
aucun, –e, any; n'—, no, not any.
audacieu-x, –se, bold.
au-dessus, above.
augmenter, to increase.
aujourd'hui, today.
auparavant, before.
auprès, near; — de, to.
aurore, *f.*, dawn, morning.
aussi, therefore, as, ever, also.
aussitôt, immediately.
autant, as much; — que, as well as.
automne, *m.*, autumn.
autour, around, about; — de, about.
autre, *adj.*, other, another, different, else; *pron.*, other, another, else; l'un l'—, each other; l'un et l'—, both.
autrefois, formerly, of old.
autrement, otherwise, differently.
avance, *f.*, advance, start; en —, ahead.
avancer, to advance; s'—, to advance.
avant; d'—, before; plus —, farther in.
avantager, to bestow an advantage on.
avant-veille, *f.*, two days before.
avarie, *f.*, damage.
avec, with; d'—, from.
aventure, *f.*, adventure.
averse, *f.*, shower of rain.
aveu, *m.*, confession.
aveugle, *f.*, blind person.
aveugle, blind.
aveuglément, blindly, rashly.
avidement, eagerly.
aviron, *m.*, oar.

avoir, to have, be, get; — peur, to be afraid.
avoisiner, to border.
avril, *m.*, April.

B

Babel, *f.*, Babel, uproar, disorder.
badigeonner, to whitewash.
baie, *f.*, bay.
baigneu-r, *m.*, –se, *f.*, bather (*frequenter of sea-side resorts*).
baisser, to lower, droop.
bal, *m.*, ball, dance.
balai, *m.*, broom.
balancer (se), to swing, rock.
balayer, to sweep.
balbutier, to stammer, mumble.
baleinière, *f.*, whale-boat, boat.
balle, *f.*, ball, bullet.
ballon, *m.*, ball.
bambou, *m.*, bamboo-cane.
ban, *m.*, public bann.
banal, –e, common(place).
banc, *m.*, shoal, bank, bench.
bande, *f.*, band, crew.
bandeau, *m.*, head-band.
barbare, *m.*, barbarian.
barbare, savage, barbarous.
barbe, *f.*, beard.
baril, *m.*, barrel.
barque, *f.*, boat.
barre, *f.*, bar.
barrière, *f.*, rail.
bas, *m.*, bottom; en —, below.
bas, –se, low.
bas-fond, *m.*, hollow.
bataille, *f.*, battle.
bateau, *m.*, boat.
batelier, *m.*, boatman.
bâton, *m.*, stick.
batterie, *f.*, fight, battery.
battre, to beat; se —, to fight.
beau, *m.*, belle, *f.*, beauty.
beau, bel, belle, beautiful, noble, fine.

beaucoup, much, many, considerably, a great deal.
beauté, *f.*, beauty.
Bédouin, *m.*, Bedouin (Arab).
bénéfice, *m.*, benefice, advantage.
bénir, to bless.
bénit, –e, blessed.
berceau, *m.*, cradle.
bercer, to lull to sleep.
besoin, *m.*, need, want.
bête, *f.*, animal, creature.
beuglement, *m.*, lowing, bellowing.
bien, *m.*, well-being, benefit.
bien, well, clearly, really, much, many, very, very well, indeed.
bien-aimé, –e, beloved, well-beloved.
bien-être, *m.*, well-being, comfort.
bien que, although.
bientôt, soon.
billet, *m.*, ticket, note.
biscuit, *m.*, ship-biscuit, pilot bread.
bizarre, strange.
blanc, *m.*, white.
blanc, –he, white.
blanchâtre, whitish.
blancheur, *f.*, whiteness.
blanchir, to whiten, foam.
blême, pale.
blesser, to wound.
blessure, *f.*, wound.
bleu, *m.*, blueness.
bleu, –e, blue.
bleuâtre, bluish.
bleu-noir, bluish black.
bloc, *m.*, block.
blocus, *m.*, blockade.
blonde, *f.*, blond.
blond, –e, fair, light.
boire, to drink.
bois, *m.*, wood.
boiserie, *f.*, wainscoating.
boîte, *f.*, box.
bon, –ne, good, kind, early, safe.
bond, *m.*, bound.

bondir, to bound.
bonheur, *m.*, happiness, good fortune.
bonjour, *m.*, good day, greeting.
Bonne-Nouvelle, *f.*, Good-News.
bonnet, *m.*, cap.
bonsoir, *m.*, good evening.
bord, *m.*, edge, ship-board; **à** *or* **du** —, aboard.
boréal, –e, arctic, boreal.
bordée, *f.*, stretch.
bordure, *f.*, border.
bossu, –e, hump-backed.
botte, *f.*, boot.
bouche, *f.*, mouth.
boucle, *f.*, ring.
bouclé, –e, curly.
boue, *f.*, mud.
bouffée, *f.*, gust, blast.
bouger, to move, stir.
boule, *f.*, ball.
bouquet, *m.*, bouquet, cluster, clump.
bourdonnement, *m.*, hum, buzz.
bourgeois, –e, middle-class.
bourrasque, *f.*, squall.
bousculer, to jostle, squeeze; **se** —, to jostle.
bout, *m.*, end, point.
boutique, *f.*, shop.
branche, *f.*, branch.
branle-bas, *m.*, clearing for action.
bras, *m.*, arm; — **dessus** — **dessous**, arm in arm.
brasser, to stir.
brave, brave, true, good, honest.
br-ef, –ève, brief.
Brest, *f.*, Brest, *city in northwestern part of France.*
Bretagne, *f.*, Brittany.
Breton, *m.*, inhabitant of Brittany.
breton, –ne, of Brittany.
brillant, *m.*, brilliancy.
brillant, –e, shining, brilliant.
briller, to shine.
brindille, *f.*, twig.

brise, *f.*, breeze.
briser, to break, dash; se —, to be dashed to pieces.
bronzer, to tan.
brouillard, *m.*, fog, mist.
bruire, to roar, rustle.
bruissement, *m.*, noise, rustling.
bruit, *m.*, noise.
brûler, to burn.
brume, *f.*, fog, mist.
brumeu-x, –se, foggy, hazy.
brun, –e, brown.
brunir, to turn brown.
brusque, abrupt, short.
brusquement, briskly.
brusquer, to hurry.
brutal, –e, brutal, surly.
bruyant, –e, noisy.
bureau, *m.*, office, desk.
but, *m.*, object, purpose, goal.

C

ça, *pron.*, that; comme —, like that.
çà, *adv.*, here; — et là, here and there.
çà, *int.*, now.
cabaret, *m.*, inn.
cabine, *f.*, cabin.
cacher, to hide, conceal; se —, to hide oneself.
cachet, *m.*, seal.
cadenasser, to padlock.
cadet, *m.*, younger brother.
cadre, *m.*, frame.
café, *m.*, coffee, coffee-house.
caisson, *m.*, locker, chest.
câlin, –e, coaxing, caressing.
calme, *m.*, calm.
calme, calm, still.
calquer, to copy, imitate.
calvaire, *m.*, Calvary.
camarade, *m.*, comrade.
campagne, *f.*, voyage, country.
canal, *m.*, canal, channel.
canon, *m.*, barrel (of a gun), gun.

canonnier, *m.*, gunner.
cantique, *m.*, song.
cap, *m.*, headland.
capitaine, *m.*, captain.
caprice, *m.*, caprice, whim.
capricieu-x, –se, fickle, capricious.
car, for, as, because.
caractère, *m.*, character.
carène, *f.*, keel.
caresser, to caress, stroke.
cargaison, *f.*, cargo.
carrefour, *m.*, crossroad.
carrément, straightway.
carrure, *f.*, breadth of shoulder.
carton, *m.*, pasteboard box.
caserne, *f.*, barracks.
casier, *m.*, pigeon-hole.
casque, *m.*, helmet, headpiece.
casser, to break.
cause, *f.*, cause; à — de, because of, on account of.
causer, to cause.
causer, to talk.
causerie, *f.*, talk.
caveau, *m.*, vault.
ce, he, she, it, they.
ceinture, *f.*, belt.
cela, that, this.
célébrer, to celebrate.
Celte, *m.*, Celt.
celtique, Celtic.
celui-ci, celle-ci, ceux-ci, celles-ci, this, these.
celui-là, that.
cendré, –e, ashy.
cent, hundred, cent.
centaine, *f.*, hundred.
cependant, yet, however.
cercle, *m.*, circle.
cérémonial, *m.*, ceremony.
cernés (des yeux), eyes with dark circles around them.
certainement, surely, certainly
certificat, *m.*, certificate.
cervelle, *f.*, brains.
cesse, *f.*, rest.
cesser, to cease.

cet, *m.*, cette, *f.*, ces, *pl.*, this, that.

chacun, -e, each, everyone.

chagrin, *m.*, grief; mourir de —, to die of a broken heart.

chaise, *f.*, chair.

châle, *m.*, shawl.

chaleur, *f.*, heat.

chambre, *f.*, room.

champ, *m.*, field.

chanceler, to totter.

changement, *m.*, change.

changer, to change; se —, to change.

chanson, *m.*, song, chant.

chant, *m.*, song.

chanter, to sing; se —, to be sung.

chanteur, *m.*, singer.

chanvre, *m.*, hemp.

chapeau, *m.*, hat.

chapelet, *m.*, rosary.

chapelle, *f.*, chapel.

chaque, each, every.

charbon, *m.*, coal.

charger, to charge, load, take charge.

charmer, to charm.

charpente, *f.*, woodwork.

chasser, to chase.

chasseur, *m.*, ship in chase, chaser, cruiser.

chat, *m.*, -te, *f.*, cat.

chaud, -e, warm, hot.

chaume, *m.*, thatch.

chaumière, *f.*, thatched house.

chauve, bald.

chauve-souris, *f.*, bat.

chaux, *f.*, lime; — blanche, whitewash.

chavirer, to turn upside down.

chemin, *m.*, road.

cheminée, *f.*, fireplace, chimney.

cheminer, to walk.

chemise, *f.*, shirt.

chêne, *m.*, oak.

ch-er, -ère, dear.

chercher, to seek.

cheval, *m.*, horse.

cheveu, *m.*, hair.

chèvre, *f.*, goat.

chèvre-feuille, *m.*, honeysuckle.

chevrotement, *m.*, quivering of the voice.

chez, at the house of, in, into.

chien, *m.*, dog.

chimère, *f.*, chimera.

chimérique, fantastical.

Chine, *f.*, China.

chinois, -e, Chinese.

choc, *m.*, shock.

choisir, to choose.

chose, *f.*, thing, matter.

Christ, *m.*, Christ, crucifix.

chrysanthème, *m.*, chrysanthemum.

cidre, *m.*, cider.

ciel, *m.*, sky, heaven.

cierge, *m.*, taper.

cil, *m.*, eyelash.

cimetière, *m.*, cemetery.

cinq, five.

cirage, *m.*, waxing, blacking.

circonstance, *f.*, event.

circuler, to circulate.

cirer, to black, polish, wax.

citer, to tell.

clair, -e, clear, light, plain; en —, clearly.

clair, clearly, plainly.

clameur, *f.*, clamor.

claquer, to slap.

clarté, *f.*, light.

classe, *f.*, class, rank.

clignotement, *m.*, blinking, winking.

clin, *m.*, wink; — d'œil, trice.

cloche, *f.*, bell.

cloître, *m.*, cloister, prison.

cloîtrer, to cloister.

clore, to conclude.

clou, *m.*, nail.

clouer, to fix, fasten, nail.

cochléaria, *m.*, spoon-wort, scurvy-grass.

cœur, *m.*, heart.

cohue, *f.*, crowd.

coiffe, *f.*, cap, headdress.

coiffer, to dress the hair.

coiffeur, *m.*, hairdresser.

coiffure, *f.*, headdress.

coin, *m.*, corner.

col, *m.*, neck, collar.

colère, *m.*, anger.

colorer, to color.

combien, how much, how many, how long.

combler, to heap, crown, complete.

commande, *f.*, order.

comme, as, like, how.

commencement, *m.*, beginning.

commencer, to begin.

comment, how.

commis, *m.*, clerk.

commisération, *f.*, pity.

commissaire, *m.*, commissary.

commission, *f.*, errand.

commotion, *f.*, commotion, shock.

commun, -e, common.

communicati-f, -ve, communicative.

communiquer, to tell.

compagne, *f.*, companion.

compagnie, *f.*, company.

compagnon, *m.*, companion.

comparer, to compare.

compartiment, *m.*, compartment, division.

complainte, *f.*, complaint, ballad.

compl-et, -ète, complete.

compléter, to complete.

compliquer, to complicate.

composer, to compose; se —, to compose oneself.

comprendre, to understand.

compte, *m.*, account, question.

compter, to count.

concentrer, to concentrate.

concerner, to concern.

condition, *f.*, situation.

conduire, to take, attend; se —, to conduct oneself.

confiance, *f.*, confidence, trust.

confiant, -e, confident.

confier, to entrust, confide.

confondre, to confuse.

confus, -e, vague, confused.

congé, *m.*, leave.

conjecture, *f.*, guess, surmise.

connaissance, *f.*, knowledge.

connaître, to be acquainted with, recognize.

consacrer, to consecrate.

conscience, *f.*, consciousness.

conserver, to take care of, keep.

considérer, to consider.

consigner, to confine, register.

consolation, *f.*, consolation, com-

consoler, to console. [fort.

constamment, constantly.

constant, -e, constant.

construction, *f.*, act of building, building, structure.

construire, to erect, construct.

consumer, to consume, waste, destroy; se —, to waste away.

contemporain, *m.*, -e, *f.*, contemporary.

contenir, to contain, hold, restrain.

content, -e, pleased, satisfied.

continent, *m.*, continent, mainland.

continuer, to continue; se —, to be prolonged.

contour, *m.*, contour, outline.

contracter, to contract; se —, to contract.

contraint, -e, stiff, forced.

contrainte, *f.*, constraint.

contraire, *m.*, contrary; au —, on the contrary.

contrarier, to annoy.

contraster, to contrast.

contre, against, near; par —, on the other hand.

contre-coup, *m.*, rebound.

contre-danse, *f.*, country-dance

contribuer, to contribute.

convenance, *f.*, propriety.

convenir, to be fit *or* convenient, suit, agree.

convention, *f.*, convention, conventionality.

convier, to invite.

coque, *f.*, hull.

coquille, *f.*, shell.

cordage, *m.*, rope, rigging.

corde, *f.*, string.

corne, *f.*, horn, hoof.

cornemuse, *f.*, bagpipe.

cornet, *m.*, horn, point, tip.

cornu, -e, horned, angular.

corps, *m.*, body.

corridor, *m.*, passageway.

corsage, *m.*, bodice, chest.

cortège, *m.*, procession.

costume, *m.*, dress, uniform.

côté, *m.*, side, direction; **de —,** obliquely; **du —,** in the direction.

côte, *f.*, seacoast, hillside.

coton, *m.*, cotton.

cou, *m.*, neck.

couchant, *m.*, setting sun, west.

couche, *f.*, layer, coat.

coucher, to lie down, lay, rest; **se —,** to go to bed, lie flat.

couchette, *f.*, bunk, small bed.

couler, to roll; **se —,** to slip.

couleur, *f.*, color.

couloir, *m.*, passage.

coup, *m.*, stroke, blow, act; **— de feu,** flash of fire; **tout à —,** suddenly; **du même —,** at once; **— de vent,** gale.

couper, to cut.

couplet, *m.*, couplet, song.

cour, *f.*, yard, court; courtship.

courage, *m.*, courage, daring.

courageu-x, -se, courageous.

courant, *m.*, tide, course, current, instant; **au —,** acquainted.

courant, -e, present.

courbe, *f.*, curve.

courber, to bend; **se —,** to bend.

courbure, *f.*, curvature.

courir, to run, rove.

couronne, *f.*, wreath.

couronnement, *m.*, crowning, taffrail.

courrier, *m.*, post, mail.

course, *f.*, journey, trip, course.

court, -e, short.

courtiser, to court.

cousin, *m.*, **-e,** *f.*, cousin.

couteau, *m.*, knife.

coûter, to cost; **se —,** to be expensive.

coutume, *f.*, custom, habit; **avoir —,** to be accustomed.

couture, *f.*, sewing.

couturière, *f.*, dressmaker.

couvercle, *m.*, cover, lid.

couvert, -e, covered, dim, cloudy.

couverture, *f.*, quilt, counterpane, bedclothes.

couvrir, to cover.

craindre, to fear.

crainti-f, -ve, fearful.

craintivement, fearfully.

cramponner, to fasten, cling.

crâne, *m.*, skull.

crânement, swaggeringly.

craquement, *m.*, creaking.

crayon, *m.*, pencil.

créer, to produce. [ing.

crépusculaire, twilight, glimmer-

crépuscule, *m.*, twilight.

creuser, to hollow, dig; **se —,** to become hollow.

creux, *m.*, hollow.

crevé, burst, collapsed.

cri, *m.*, cry.

crier, to cry.

croire, to believe.

croisement, *m.*, crossing.

croiser, to cross, meet; **se —,** to pass each other.

croiseur, *m.*, cruiser.

croisière, *f.*, cruise, cruising; cruisers.

croître, to grow.

croix, *f.*, cross.

croquer, to devour.

crosse, *f.*, butt of a gun.

crouler, to crumble.
crûment, coarsely.
cuiller, *f.*, spoon.
cuisse, *f.*, thigh.
cuivre, *m.*, brass, coffer.
cultiver, to cultivate, improve.
curieu-x, -se, curious.

D

dalle, *f.*, flagstone, slab.
dame, *f.*, lady, dame.
dandiner (se), to strut.
Danemark, *m.*, Denmark.
danger, *m.*, danger, risk.
dangereu-x, -se, dangerous.
dans, in, into.
danse, *f.*, dance.
danseu-r, *m.*, -se, *f.*, dancer.
date, *f.*, date, period.
dater, to date.
davantage, more.
de, of, from, by, with, on, for, in, to, at.
dé, *m.*, die; jouer aux dés, to throw dice for.
débandade, *f.*, stampede; à la —, in confusion.
débarquer, to disembark.
débarrasser, to clear away, relieve.
débattre, to discuss; se —, to flounder, struggle.
déborder, to overflow.
debout, upright, standing.
débris, *m.*, remnant.
début, *m.*, beginning.
décacheter, to unseal.
décéder, to die.
décembre, *m.*, December.
décemment, decently.
déception, *f.*, disappointment.
décharger, to unload.
déchirant, -e, harrowing.
déchirer, to tear, rend; se —, to be torn.
déchirure, *f.*, tear, break.
décidément, decidedly.

décider, to decide, determine; se —, to resolve.   [sive.
décisi-f, -ve, decisive, conclu-
décoiffé, capless.
décoller, to behead.
décolleter, to uncover the neck.
décompte, *m.*, allowance.
découper, to cut up; se —, to stand out.   [line.
découpure, *f.*, cutting out, out-
découvrir, to uncover, expose, show.
décrire, to describe.
dédaigner, to despise, disregard.
dédaigneu-x, -se, scornful.
dédain, *m.*, scorn.
défendre, to defend, forbid.
déferler, to unfurl, roll in.
défiler, to march out.
définiti-f, -ve, final.
définitivement, definitely.
déformer, to throw out of.
défunt, -e, dead, deceased.
dégager, to free; se —, to get clear.
degré, *m.*, degree, extent.
dehors, away, out, outside; en — de, aside from.
déjà, already.
déjeuner, *m.*, breakfast.
déjeuner, to breakfast.
delà, beyond; au —, de —, farther on, beyond.
délai, *m.*, delay.
délégation, *f.*, assignment.
délicieu-x, -se, delicious, delightful.
demain, tomorrow.
demander, to ask, summon; se —, to wonder.
démarche, *f.*, gait, step, course, measure.
demener (se), to struggle.
démesuré, -e, unbounded.
demeure, *f.*, lodging.
demeurer, to remain, live.
demi, *m.*, half.
demi, -e, half.

demi-nu, -e, half-naked.
demi-seconde, *f.*, half second.
demi-voix, *f.*, faint voice.
demoiselle, *f.*, young lady.
dent, *f.*, tooth.
dentelle, *f.*, lace.
départ, *m.*, departure.
dépasser, to exceed.
dépaysé, -e, out of one's element.
dépaysement, *m.*, expatriation.
dépayser, to expatriate, remove.
dépêcher, to hurry; **se —,** to make haste.
dépeindre, to represent.
dépendre, to depend.
dépit, *m.*, spite.
déplaire, to displease.
déplier, to unfold. [folding.
déploiement, *m.*, display; un-
déployer, to spread out, use; **se —,** to unroll, display oneself.
déposer, to deposit; **se —,** to settle.
depourvu, -e, unprovided; **au —,** unawares.
depuis, since, for.
déranger, to disturb; **se —,** to disturb oneself.
dérision, *f.*, derision, ridicule.
dérive, *f.*, drift, leeway, drifting.
derni-er, -ère, last.
dérober (se), to escape, shun.
derrière, behind.
dès, from, as early as, as soon as; **— que,** as soon as.
descendre, to descend.
désert, *m.*, desert, waste.
déserteur, *m.*, deserter.
désespéré, -e, person in despair.
désespéré, -e, hopeless.
désespérer, to despair.
désespoir, *m.*, despair.
désigner, to assign, choose.
désintéresser, to refund, pay.
désinvolte, easy, free.
désirer, to desire.
désolé, -e, desolate.

désordre, *m.*, disorder.
desservir, to take away, meet (a train).
dessin, *m.*, outline.
dessiner, to draw, sketch; **se —,** to stand out.
dessous, under.
dessus, upon, on it; **au —,** above.
destiner, to destine.
détacher, to detach; **se —, to** detach oneself.
détail, *m.*, detail, trifle.
détailler, to cut up, go into details about.
détente, *f.*, trigger (of a gun).
détourner, to turn, turn away.
détremper, to moisten.
détresse, *f.*, distress, sorrow.
deuil, *m.*, mourning.
deux, two; **tous —,** both; **en —,** double.
devant, before, opposite, ahead of.
devenir, to become, get, grow, turn.
dévier, to swerve.
deviner, to guess, imagine.
devoir, ought, must, should, owe.
dévorer, to consume, devour.
diable, *m.*, devil.
diabolique, devilish.
diaphane, transparent.
dicter, to dictate.
Dieu, *m.*, God.
difficile, difficult, hard to satisfy.
difficulté, *f.*, hardship.
difforme, ugly, deformed.
diffuse, diffuse, wordy.
diffuser, to diffuse.
dilater, to expand.
diligence, *f.*, stage coach.
dimanche, *m.*, Sunday.
diminuer, to diminish.
dîner, to dine. [speak.
dire, to say, name, appoint,
diriger, to direct.
disparaître, to disappear.
disparu, -e, lost.

disposer, to dispose, arrange, lay out, make ready.

disputer, to dispute, vie with.

disque, *m.*, disc.

distancer, to distance, outdo, outstrip.

distinguer, to distinguish.

distraire, to disturb.

distrait, –e, distracted, heedless.

distribuer, to distribute.

dit, –e, said; appointed.

divers, –e, various.

dix, ten.

dix-huit, eighteen.

dix-sept, seventeen.

docilement, submissively.

doctoral, –e, doctoral.

doigt, *m.*, finger.

dominat–eur, –rice, commending.

dominer, to look over, rise above, dominate.

dommage, *m.*, pity.

don, *m.*, gift.

donc, therefore, then, of course.

donner, to give, grant, look out, present; — **port**, to open upon; **se** —, to give oneself.

dont, whose, of whom, of which, in which, for whom.

dorer, to gild.

dormir, to sleep, do nothing.

dos, *m.*, back; **de** —, from behind.   [ly.

doucement, slowly, gently, soft-

douceur, *f.*, sweetness, kindness.

douleur, *f.*, grief, pain.

douloureu–x, –se, painful.

doute, *m.*, doubt.

douter, to doubt, hesitate; **se** —, to suspect.

douteu–x, –se, doubtful.

dou–x, –ce, sweet, mild, gentle.

douzaine, *f.*, dozen.

douze, twelve.

drame, *f.*, drama.

drap, *m.*, flag.

draper, to cover.

dresser, to erect, sit up, prick up (the ears), spread; **se** —, to stand erect.

droit, *m.*, right, claim.

droit, –e, straight, erect.

droite, *f.*, right.

drôle, *m.*, rascal.

drôle, droll, strange.

drôlement, comically, oddly.

drôlerie, *f.*, drollery.

drôme, *f.*, float, raft.

du, –e, owing, due.

duire, to fit.

Dunkerquois, *m.*, Dunkirk man.

duquel, of which, from which.

dur, –e, hard, harsh.

durer, to last.

dureté, *f.*, harshness.

E

eau, *f.*, water.

éblouir, to dazzle.

ébouriffer, to ruffle; **s'** —, to curl.

ébranlement, *m.*, motion, starting.

ébranler (s'), to be set in motion.

écaille, *f.*, scale.

écart (à l'), aside, at one side.

écarté, *part.*, lonely.

échanger, to exchange.

échelle, *f.*, ladder.

échelonner, to draw up.

écheveau, *m.*, skein.

échevelé, –e, disordered.

écho, *m.*, echo.

échoir, to fall (to the lot of).

éclaboussement, *m.*, splashing.

éclabousser, to splash.

éclair, *m.*, flash.

éclaircir, to explain.

éclairer, to brighten, light; **s'** —, to give light, shine.

éclat, *m.*, glory, splendor.

école, *f.*, school.

écoli–er, *m.*, –ère, *f.*, pupil.

économie, *f.*, thrift, economy.

économiser, to economize.

écouler, to flee.

écouter, to listen, hear, pay attention.

écoutille, *f.*, hatchway.

écrasant, -e, overwhelming.

écrire, to write; s'—, to be written.

écriture, *f.*, handwriting.

écrivassier, *m.*, scribbler.

écuelle, *f.*, bowl.

écume, *f.*, foam.

écumeur, *m.*, rover, sea robber.

effacer, to blot out; s'—, to efface oneself.

effarement, *m.*, fright, distraction.

effarer, to scare.

effaroucher, to scare.

effet, *m.*, effect; en —, indeed!

effiler (s'), to taper, ravel out.

effondrer, to dig deep, sink, break *or* stave in, fall.

efforcer (s'), to strain, attempt, strive.

effort, *m.*, effort, force.

effrayer, to frighten.

effroyable, frightful, dreadful.

égal, -e, uniform; c'est —, never mind.

église, *f.*, church.

élan, *m.*, burst, impulsive emotion.

elargir (s'), to enlarge.

élégant, -e, fashionable.

élément, *m.*, element, hobby.

élever, to raise, educate; s'—, to rise, mount.

éloigné, distant.

éloignement, *m.*, distance.

éloigner, to remove, separate; s'—, to go away.

émaner, to emanate.

embarquer, to sail; s'—, to put to sea.

embarras, *m.*, embarrassment, perplexity.

embarrasser, to embarrass.

embellir, to adorn.

embrassement, *m.*, embrace.

embrasser, to kiss, embrace.

embrun, *m.*, spray.

embusquer, to ambuscade.

émerger, to emerge.

émerveiller, to astonish.

emmener, to carry away, take off.

émoi, *m.*, anxiety, stir, flutter.

émouser, to get dull.

empêcher, to prevent, hinder; s'—, to keep from.

empiler, to pile up.

emplir, to fill up; s'—, to be filled.

employé, *m.*, official, clerk.

emporter, to carry away.

empreinte, *f.*, impression.

empressement, *m.*, eagerness.

en, *prep.*, in, into, from, like, by, to, at, of; *with pres. part.*, while.

en, *pron.*, from it, thence, from thence, of it, it, of them.

encadrer, to frame; s'—, to be framed, encircled.

enchanter, to charm.

enclos, *m.*, enclosure.

encombrer, to throng, obstruct.

encontre (à l'— de), toward.

encore, yet, still, more, again, however.

endormi, -e, sleeping, sleepy.

endormir, to put to sleep; s'—, to fall asleep.

endroit, *m.*, place, spot.

enfance, *f.*, childhood.

enfant, *m.*, *f.*, child.

enfantillage, *m.*, childishness.

enfantin, -e, childish.

enfermer, to shut up; s'—, to shut in, seclude oneself.

enfin, finally, in short.

enfoncer (s'), to bury oneself, sink down, plunge.

enfouir, to bury.

enfuir (s'), to flee.

engager, to engage, invite.

englouter, to swallow up.

engouffrer (s'), to disappear.

enlacer, to entwine, clasp.

enlever, to carry away, lift, take off.

ennuyer, to tire, annoy; s'—, to be tired, worried.

énorme, enormous.

enquérir (s'), to inquire.

enrichir, to enrich.

enseigne, *f.*, sign.

enseigner, to teach.

ensemble, together.

ensuite, then.

entaille, *f.*, gash.

entasser, to huddle, heap up, pile up.

entendre, to hear; s'—, to understand each other.

enterrement, *m.*, burial.

entêté, –e, stubborn person.

enti-er, –ère, entire, complete.

entonner, to strike up.

entourer, to surround.

entrain, *m.*, life, spirit.

entraîner, to drag, drag after one, hurry one along.

entrait, *m.*, tie-beam.

entraver, to hinder.

entre, between, of, among, in.

entrée, *f.*, entrance.

entreprise, *f.*, enterprise.

entrer, to enter.

entretenir, to entertain, talk with.

entretien, *m.*, discourse.

entrevue, *f.*, meeting, interview.

entr'ouvrir, to open half way.

envahir, to invade.

envie, *f.*, desire.

envier, to desire, envy.

environ, about.

environs, *m. pl.*, vicinity.

envisager, to look forward to.

envoler (s'), to fly away.

envoyer, to send.

épais, –se, thick, heavy.

épaisseur, *f.*, thickness.

épanouir, to brighten.

épanouissement, *m.*, bloom.

épars, –e, scattered.

épaule, *f.*, shoulder.

épave, *f.*, wreck.

éphémère, ephemeral.

épine, *f.*, thorn.

époque, *f.*, time, period.

épouse, *f.*, wife, bride.

épouser, to marry.

épousseter, to dust away.

épouvante, *f.*, terror.

épouvanter, to scare, appall.

époux, *m.*, husband.

épreuve, *f.*, ordeal.

éprouver, to feel, experience.

épuiser, to exhaust.

équinoxe, *m.*, equinox.

équipage, *m.*, crew.

érafler, to graze, touch.

érailler, to chafe, wear.

errant, –e, wandering, fugitive.

escadre, *f.*, squadron.

escalier, *m.*, staircase.

espace, *m.*, space, room.

espacer, to leave space between.

espars, *m. pl.*, spars.

espèce, *f.*, kind, sort.

espérance, *f.*, hope, expectation.

espérer, to hope, expect.

espoir, *m.*, hope.

esprit, *m.*, spirit, mind.

essayer, to try.

essuyer, to dry, wipe.

estime, *f.*, esteem, regard.

estimer, to esteem.

étage, *m.*, story.

étager (s'), to rise tier upon tier *or* one above another.

étagère, *f.*, shelf, bunk, berth.

étain, *m.*, pewter, tin.

étalage, *m.*, shop window.

étaler, to expose for sale.

état, *m.*, state.

été, *m.*, summer.

éteindre, to extinguish.

éteint, –e, *p.p.*, extinguished.

étendre, to extend, stretch; s'—, to extend.

étendue, *f.*, expanse, compass.

éternellement, forever.
étiolé, –e, pale, blanched.
Etoile-de-la-Mer, *f.*, Star of the Sea.
étonner, to astonish; s'—, to be astonished.
étouffer, to choke, suffocate.
étourdi, –e, stunned.
étrange, strange.
étranger, *m.*, stranger.
étrang–er, –ère, strange.
étrangeté, *f.*, strangeness.
être, *m.*, being.
étreindre, to press, clasp, bind.
étreinte, *f.*, embrace.
étroit, –e, limited, narrow.
évanouir (s'), to vanish.
éventail, *m.*, fan.
éventé, –e, blown about.
éventrer to cut open.
évidemment, evidently.
éviter, to avoid.
évoquer, to call up, evoke.
exactement, exactly.
exaspérer (s'), to become exasperated, grow worse.
exceller, to excel.
excepté, except.
excès, *m.*, excess.
excessi–f, –ve, excessive, extreme.
excuser, to excuse; s'—, to apologize.
exécuter, to perform.
exemple, *m.*, example.
exercer, to train.
exhaler, to give out, exhale.
exister, to exist.
exotique, foreign, peculiar.
expert, –e, skillful, expert.
expier, to expiate, atone for.
explication, *f.*, explanation.
expliquer, to explain, s'—, to explain oneself, be accounted for.
exprimer, to express; s'—, to explain oneself.
exquis, –e, refined.

extase, *f.*, ecstacy, excitement.
extérieur, *m.*, exterior, outside.
extérieur, –e, exterior.
extraordinaire, *m.*, uncommon thing.
extraordinaire, unusual.
extrême, *m.*, extreme, utmost.
extrêmement, extremely.
exubérant, –e, exuberant.

F

face, *f.*, face; de —, full face.
fâché, –e, angry.
facile, easy.
façon, *f.*, manner, fashion; à la — de, after the manner of.
faculté, *f.*, power.
fade, dull.
fagot, *m.*, bundle.
faible, weak.
faiblement, feebly.
faïence, *f.*, earthenware.
faire, to make, do, give, cause, let, celebrate, be, take, carry on, take place, act, order, present; — la tête dure, to be obstinate; — attention, to pay attention; se —, to let, happen, grow, come on.
fait, *m.*, fact; tout à —, quite, wholly; de —, in fact.
falaise, *f.*, rock, cliff.
falbala, *m.*, furbelow, finery.
falloir, must, ought, want, to be necessary.
famili–er, –ère, familiar.
famille, *f.*, family.
fanal, *m.*, lantern.
fantaisie, *f.*, fancy, whim.
fantasmagorie, *f.*, dissolving view, magic lantern picture.
fantôme, *m.*, ghost.
farce, *f.*, farce, joke.
fasciner, to fascinate.
fatalité, *f.*, fatality.
fatigue, *f.*, fatigue, hardship.

fatiguer, to tire.

faucher, to mow; knock down.

faute, *f.*, want; — de, for lack
of.

fau-x, -sse, false, artificial.

faux-fuyant, *m.*, evasion, excuse.

feindre, to pretend.

fêlé, -e, cracked.

femme, *f.*, woman, wife.

fendre (se), to burst, break, be
rent.

fenêtre, *f.*, window.

fer, *m.*, iron; aux —s, in irons.

fermer, to shut, enclose, close;
se —, to be closed.

ferrure, *f.*, iron-work, hinge.

fête, *f.*, feast.

feu, *m.*, fire.

feuillage, *m.*, foliage.

feuille, *f.*, leaf.

février, *m.*, February.

fiancé, -e, betrothed.

fiancer, to betroth.

fidèle, loyal, true.

fi-er, -ère, proud, bold.

fierté, *f.*, pride, boldness.

fièvre, *f.*, fever.

fièvreusement, restlessly.

figer (se), to congeal.

figure, *f.*, face.

file, *f.*, procession.

filer, to file, go.

filet, *m.*, net.

fille, *f.*, girl.

fils, *m.*, son, boy.

fin, *f.*, end; à la —, at last.

fin, -e, delicate, fine, shrewd.

finesse, *f.*, delicacy, craft.

finir, to finish, end; en —, to
get through.

fiord, *f.*, fiord (*inlet bordered by
high cliffs*).

fixer, to stare, fix, fasten.

flac, *m.*, slap.

flamber, to blaze.

flamme, *f.*, fire, flame.

flanc, *m.*, side.

flaque, *f.*, pool, puddle.

fléchir, to waver.

fleur, *f.*, flower.

fleurette, *f.*, floweret.

fleuri, -e, in bloom, flowering.

fleurir, to flower, thrive.

flotte, *f.*, fleet.

flotter, to float, wave.

flottille, *f.*, flotilla.

fluidité, *f.*, fluidity.

fois, *f.*, time; à la —, at once.

foncé, -e, dark, deep.

foncer, to sink, deepen.

fond, *m.*, bottom, background,
heart, most remote end.

fondre (se), to blend.

forban, *m.*, pirate.

force, *f.*, strength, power; à —
de, by dint of.

forcer, to force.

forme, *f.*, form, shape.

former, to form.

formidable, formidable, fearful.

Formose, *f.*, Formosa.

formuler, to formulate, state.

fort, strongly, very.

fort, -e, strong.

fosse, *m.*, ditch.

fou, fol, -le, mad, foolish.

fouet, *m.*, whip.

fouetter, to lash.

fouine, *f.*, marten.

foule, *f.*, crowd.

fourneau, *m.*, stove.

foyer, *m.*, hearth, fireside, home.

fraîcheur, *f.*, coolness.

fra-is, -îche, fresh, cool, youthful.

franc, *m.*, franc (20 cts).

franc, -he, frank, sincere.

France, *f.*, France.

François, *m.*, Francis.

frange, *f.*, fringe.

frapper, to strike, knock.

frayeur, *f.*, fear, dread.

frêle, feeble, weak.

freluquet, *m.*, fop, coxcomb.

frère, *m.*, brother.

friser, to curl; graze, approach.

frisson, *m.*, chill, shudder.
frissonner, to shiver.
froid, *m.*, cold.
froid, -e, cold.
froissement, *m.*, crumpling.
froisser, to crumple.
frôler, to graze, touch.
froncement, *m.*, frown.
front, *m.*, forehead.
frottement, *m.*, rubbing.
fruste, worn, defaced.
fugiti-f, -ve, fleeting.
fuir, to flee, shun.
fumée, *f.*, smoke, fume.
fumer, to smoke.
funéraire, funeral, funereal.
fureur, *f.*, fury.
furieu-x, -se, wild.
furti-f, -ve, furtive.
furtivement, furtively.
fusil, *m.*, gun.
fuyant, -e, fleeting.

G

gabier, *m.*, topman.
gaffe, *f.*, boat-hook.
gagner, to gain, earn, reach.
gai, -e, gay.
gaîment, gaily.
galant, -e, honest, genteel, gallant.
galanterie, *f.*, gallantry, compliment.
galerie, *f.*, gallery.
gamin, *m.*, boy, urchin.
garçon, *m.*, boy.
garde, *f.*, guard; prendre —, to mind, take care of.
garder, to keep, protect; se —, to refrain, be careful not to.
gare, *f.*, station, depot.
Gascoyne, *f.*; golf de —, Bay of Biscay.
gâté, spoiled.
gauche; à —, *f.*, left, left side.
gauche, left, awkward.

gauchement, awkwardly.
gaz, *m.*, gas.
gaze, *f.*, veil, gauze.
géant, *m.*, giant.
gémissement, *m.*, groaning.
gencive, *f.*, gum. [culty.
gêne, *f.*, embarrassment, diffi-
genèse, *f.*, Genesis.
genou, *m.*, knee.
gens, *m.*, people, race.
gerbe, *f.*, sheaf, bunch.
gercer, to crack, chap.
geste, *m.*, gesture.
gesticuler, to gesticulate.
gigantesque, gigantic.
gilet, *m.*, vest.
giroflée, *f.*, gillyflower.
gîte, *m.*, quarters, refuge.
glacer, to chill, overpower.
glacial, -e, icy, frozen.
glisser, to glide, slip, flit.
gloire, *f.*, glory, fame.
glouton, -ne, greedy.
goémon, *m.*, seaweed.
golfe, *m.*, gulf, bay.
gondolé, -e, warped, crooked.
gonfler, to inflate; se —, to swell up.
gorge, *f.*, throat, neck.
goudron, *m.*, tar.
goudronner, to tar; toile goudronnée, tarpaulin.
gouffre, *m.*, gulf, abyss.
goût, *m.*, taste, smell.
gouttelette, *f.*, small drop.
grâce, *f.*, grace.
grain, *m.*, grain, squall.
grand, -e, large, great, tall, wide; — air, open air.
grandir, to grow up, increase, gain importance.
grand'mère, *f.*, grandmother.
grand'père, *m.*, grandfather.
grand'tante, *f.*, grand-aunt.
granit, *m.*, granite.
gratter, to scratch.
grave, serious, grave, demure, deep.

graver, to engrave, impress.
grec, *m.*, Greek.
gréement, *m.*, rigging.
grêle, *f.*, hail.
grêle, shrill.
grève, *f.*, beach.
grillon, *m.*, cricket.
grimace, *f.*, wry face.
grimper, to climb.
grincement, *m.*, grating.
grincer, to grate, grind.
gris, –e, gray, tipsy.
grisaille, *f.*, cameo with a gray ground.
grisâtre, grayish.
griser, to turn gray, intoxicate, spoil; se —, to be intoxicated.
grisonnant, getting gray.
gros, –se, great, large.
grossi–er, –ère, coarse, rough, plain.
grossièrement, coarsely.
grotte, *f.*, grotto.
grouillement, *m.*, swarming.
groupe, *m.*, cluster, group.
guère, hardly.
guerre, *f.*, war.
guerri–er, –ère, brave, warlike.
guet, *m.*, watch.
guetter, to watch for.
Guillaume, *m.*, William.

H

habile, clever, expert, skillful.
habiller, to dress, clothe; s'—, to dress oneself.
habit, *m.*, coat, garment.
habiter, to live; to inhabit.
habitude, *f.*, custom, habit.
habitué, *m.*, –e, *f.*, customer.
habituel, –le, customary.
habituer, to accustom, use.
haie, *f.*, hedge.
haine, *f.*, aversion.
haineu–x, –se, hateful.
hâler, to burn, tan.

haleter, to pant for breath, blow
halo, *m.*, halo.
hameau, *m.*, hamlet.
hameçon, *m.*, fishhook.
hampe, *f.*, staff.
hardi, –e, bold, fearless.
hardiesse, *f.*, boldness.
hasard, *m.*, chance, risk; au —, at random.
hâte, *f.*, haste.
hâter, to hasten; se —, to make haste.
haubans, *m. pl.*, shrouds.
haut, *m.*, top; d'au —, from above; en —, above; là—, up there.
haut, –e, high.
hautain, –e, haughty.
hauteur, *f.*, height, depth.
hélas! alas!
héler, to hail, call.
herbage, *m.*, grass, herbage.
herbe, *f.*, grass, herb, plant.
héritière, *f.*, heiress.
héros, *m.*, hero.
hésitant, –e, hesitating.
hésiter, to hesitate.
hêtre, *m.*, beach.
heure, *f.*, hour, time, o'clock; de bonne —, early; tout à l'—, recently, presently.
heureusement, happily.
heureu–x, –se, happy, fortunate.
heurter, to run up against.
hier, yesterday.
hirondelle, *f.*, swallow.
hisser, to lift.
histoire, *m.*, story; yarn.
hiver, *m.*, winter.
hocher, to toss, shake.
homard, *m.*, lobster.
homme, *m.*, man.
honnête, courteous, honest.
honnêteté, *f.*, honesty.
honneur, *m.*, honor.
honte, *f.*, shame, confusion.
horloge, *f.*, clock.
horreur, *f.*, horror.

horriblement, horribly.

houle, f., swell, billow.

houx, m., holly.

huit, eight.

humain, -e, human.

humer, to inhale.

humide, n. and adj., damp, moisture.

humidité, f., dampness, moisture.

hune, f., top (of a mast).

hurler, to howl, scream.

hutte, f., hut, cottage.

hyperborée, hyperborean, northern.

I

ici, here.

idée, f., idea.

ignorer, to be ignorant of.

île, f., island.

îlot, m., cluster.

imaginer, to imagine; s'—, to fancy.

imbécile, foolish, simple.

imiter, to imitate.

immense, immense, infinite.

immensité, f., boundless space, boundlessness.

immobile, motionless.

immobile, motionless.

impalpable, intangible.

impassibilité, f., impassibility.

impassible, impassive.

impatience, f., impatience, restlessness.

impayable, inimitable.

impitoyable, pitiless.

importer, to matter; n'import, never mind, no matter.

imposer, to awe.

imposer, to force upon, give.

imprégner, to impregnate.

imprévu, -e, unforeseen.

improviser, to improvise.

inaccoutumé, -e, unaccustomed.

inaltérable, changeless.

inattendu, -e, unexpected.

incertain, -e, uncertain.

incessant, -e, ceaseless, incessant.

incliner, to lean; s'—, to incline, bow.

incolore, colorless.

Incompl-et, -ète, incomplete.

inconnu, m., unknown person.

inconnu, -e, unknown.

inde, f., India.

indécis, -e, doubtful, irresolute.

indécision, f., indecision, indistinctness.

indicible, inexpressible.

indigent, -e, needy, impoverished.

indigner, to make indignant; s'—, to be indignant.

indiquer, to indicate.   [ately.

indistinctement, indiscrimininerte, motionless.

inespéré, -e, unhoped for.

inexorablement, inexorably.

inférieur, -e, lower.

infini, m., infinite space, expanse.

infini, -e, endless, infinite.

informe, shapeless.

informer, to inform; s'—, to make inquiries.

inintelligence, f., lack of intelligence.

inné, -e, innate.

innombrable, innumerable.

inonder, to engulf, overflow.

inouï, -e, unheard of, wonderful.

inqui-et, -ète, anxious.

inquiéter, to alarm, disturb; s'—, to be anxious.

inquiétude, f., uneasiness.

inquisition, f., inquisition, inquiry.

inscrire, to inscribe, enter.

insensible, unconscious.

insensiblement, unconsciously.

insignifiant, -e, insignificant.

insistance, f., persistence, entreaty.

inspirer, to inspire.
instable, fickle, unstable.
installer, to place, install.
intéressant, -e, interesting.
intérêt, *m.*, interest.
intérieur, *m.*, interior, home.
intermède, *m.*, interlude.
interrogation, *f.*, question.
interroger, to question; s'—, to question oneself.
interrompre, to interrupt.
intervalle, *m.*, interval.
intime, intimate.
intriguer, to puzzle.
inutile, useless.
invariable, unchangeable.
invité, *m.*, guest.
inviter, to invite.
involontaire, involuntary.
ironie, *f.*, mockery.
irréfléchi, -e, thoughtless, unreflecting.
irreprochablement, irreproachably.
irrésistible, irresistible.
irrespirable, unbreathable.
irriter, to irritate.
islandais, -e, *adj.*, Icelandic; *n.*, Icelander.
isolement, *m.*, solitude.
isoler, to isolate, separate.
ivresse, *f.*, intoxication.

J

jadis, formerly.
jamais, ever, never; à —, forever.
jambe, *f.*, leg, limb.
jardin, *m.*, garden.
jardinet, *m.*, little garden.
jaune, yellow.
jaunir, to turn yellow.
jet, *m.*, throw, jet, shoot.
jeter, to throw, cast, utter; se —, to throw oneself.
jeu, *m.*, play, sport.

jeune, young, early, new.
jeunesse, *f.*, youth.
jeunet, -te, very young.
joie, *f.*, joy, happiness.
joindre, to clasp, join.
joint, -e, *p.p.*, joined, united.
joli, -e, pretty, neat, good.
joncher, to scatter.
joue, *f.*, cheek.
jouer, to play, move; — aux dés, to throw dice for.
jour, *m.*, day, daylight; petit —, dawn.
journal, *m.*, newspaper, diary.
journée, *f.*, day.
joyeu-x, -se, joyful, merry.
jugement, *m.*, judgment, opinion.
juger, to judge, believe.
juillet, *m.*, July.
juin, *m.*, June.
jupe, *f.*, skirt.
jupon, *m.*, short petticoat.
jusque, up, to, even, until.
jusqu'ici, till now.
juste, *adj.*, just, right, proper, exact; *adv.*, just, exactly, appropriately.
justement, exactly, precisely.
juvénile, youthful.

K

kilomètre, *m.*, kilometer (*about three fifths of a mile*).

L

là, there.
là-bas, yonder, down there.
labeur, *m.*, labor, toil.
laborieu-x, -se, industrious, laborious.
laboureur, *m.*, ploughman, farm hand.
là-haut, up there.
laid, -e, ugly, plain.
laideur, *f.*, ugliness.
laine, *f.*, wool.

laisser, to leave, let; se —, to allow oneself.

lame, *f.*, wave, billow, blade.

lampe, *f.*, lamp.

lancer, to cast, hurl.

lande, *f.*, common, moor.

languir, to languish, linger, pine.

lard, *m.*, bacon, pork.

large, *m.*, open sea, off (*the coast of*).

large, broad.

larme, *f.*, tear.

las, -se, tired.

latent, -e, latent, concealed.

laveu-r, *m.*, -se, *f.*, washer.

leg-er, -ère, easy, light, active.

légèrement, slightly.

léguer, to leave, bequeath.

lendemain, *m.*, following day.

lent, -e, slow.

lentement, slowly.

lenteur, *f.*, slowness.

léopard, *m.*, leopard.

lequel, *m.*, laquelle, *f.*, who, whom, that, which.

lessive, *f.*, washing.

lestement, briskly, freely, quickly.

lettre, *f.*, letter. [up.

lever, to lift; se —, to rise, get

lèvre, *f.*, lip.

libre, free.

Libye, *f.*, Libya.

lichen, *m.*, lichen, moss.

lierre, *m.*, ivy.

lieu, *m.*, place, ground; au — de, instead of.

lieue, *f.*, league.

ligne, *f.*, line.

limite, *f.*, limit.

limpide, clear.

lin, *m.*, flax.

lire, to read.

lisser, to smooth.

lit, *m.*, bed.

livret, *m.*, memorandum.

logis, *m.*, lodging.

Loguivy, *m.*, *in Brittany*.

loin, far off.

lointain, *m.*, distance, background.

lointain, -e, distant.

long, *m.*, extent, length; tout le —, along.

long, -ue, long; trop —, at too much length.

longtemps, long time; depuis —, long ago.

longue, *f.*, length.

longuement, for a long time, at length.

loque, *f.*, rag.

loquet, *m.*, latch, catch.

louer, to rent.

loup, *m.*, wolf.

lourd, -e, heavy.

lourdeur, *f.*, weight.

lucarne, *f.*, skylight, dormer window.

lucide, lucid, clear.

lueur, *f.*, light.

lugubre, sad, dismal.

luire, to shine.

lumière, *f.*, light.

lumineu-x, -se, luminous.

lune, *f.*, moon.

lutte, *f.*, struggle, contest.

lutter, to struggle, vie with.

M

machine, *f.*, engine.

madrépore, *m.*, madrepore, coral.

magnifiquement, magnificently.

magot, *m.*, grotesque figure, monkey.

mai, *m.*, May.

maigre, spare, poor, dry.

maille, *f.*, mesh, link.

maillet, *m.*, mallet.

maillot, *m.*, tights.

main, *f.*, hand.

maintenant, now.

maintenir, to keep.

mairie, *f.*, town-hall.

mais, but, why.

maison, f., house.

maître, m., master.

mal, m., pain, trouble; faire du —, to hurt.

mal, ill, wrong, badly.

malgré, in spite of.

malheur, m., misfortune.

malice, f., malice, mischief.

maman, f., mamma.

manche, f., sleeve, cuff; channel; English Channel.

mandat, m., order.

manger, to eat, squander.

maniaque, m., f., and adj., maniac.

manière, f., way, means, manner.

manifester, to make known, show.

manœuvre, f., manœuvre, working, operation.

manque, m., lack, need, failure.

manqué, -e, spoilt.

manquer, to lack, fail, miss, disappoint.

marais, m., marsh; — salant, salt pit.

marbrer, to mottle.

marbrure, f., marbling.

marche, f., step, walk.

marché, m., market-place, market, sale, treaty.

marcher, to walk, step.

marée, f., tide.

mari, m., husband.

Maria-Dieu-t'aime, f., Mary-God-Loves-You.

mariée, f., bride.

marier, to marry; se —, to be married.

mariés, m. pl., married couple.

marin, -e, seafaring, marine.

marine, f., navy, naval forces.

maritime, naval.

marquer, to mark, denote, show.

mars, m., March.

masse, f., mass, heap, substance.

massi-f, -ve, massive.

mât, m., mast, pole.

matelot, m., sailor.

matin, m., morning.

matinal, -e, morning, early.

matini-er, -ère, morning.

matou, m., tom-cat.

matricule, f., register.

mâture, f., collect., masts.

mausolée, m., mausoleum.

mauvais, -e, evil, bad, unpleasant, jealous.

méchant, -e, bad, worthless.

médaille, f., medal.

médecin, m., doctor.

méfier (se), to mistrust.

meilleur, -e, better, best.

mélancolie, f., melancholy, mournfulness.

mélancolique, melancholy.

mélange, m., mixture.

mêler, to mingle, mix; se —, to be mingled.

membrure, f., frame.

même, adj., same; m., the same; tout le —, all the same.

même, adv., even.

mémoire, f., memory.

menace, f., threat, menace.

menacer, to threaten.

ménage, m., household.

ménager, to save.

mener, to lead, direct, take.

menton, m., chin.

menu, minutely.

méprisant, -e, contemptuous.

mépriser, to scorn.

mer, f., sea.

merci, f., thanks.

merci, m., thank you.

mère, f., mother.

merveille, f., wonder.

messe, f., mass.

messieurs, m. pl., gentlemen.

mesure, f., measure, proportion; à — que, according as.

mesurer, to measure.

métier, m., trade, business.

mètre, m., meter (39⅓ inches).

mettre, to put, put on; — **en mer,** to put to sea; **se** —, to begin, apply oneself, set about.

meuble, *m.*, furniture.

midi, *m.*, noon, south.

mieux, *adj.*, better, best; *m.*, better, best, best thing.

mieux, *adv.*, rather, more.

milieu, *m.*, midst.

militaire, military; *m.*, soldier.

mille, thousand.

millier, *m.*, thousand.

mine, *f.*, show, air; **faire** —, to appear.

minuit, *m.*, midnight.

mirage, *m.*, mirage, shadow.

mirer, to aim.

miroir, *m.*, mirror.

miroitant, -e, glittering.

miroiter, to reflect.

mise, dressed.

mi-septembre, *f.*, middle of September.

misère, *f.*, misery, trouble.

mitaine, *f.*, mitten.

mobile, lively.

mode, *f.*, fashion, style; **à la** —, in fashion.

modèle, *m.*, model.

moduler, to modulate.

moindre, least.

moine, *m.*, monk.

moins, *m.*; **au** —, at least.

moins, less.

mois, *m.*, month.

moitié, *f.*, half.

moitié, half.

monde, *m.*, world, people; **tout le** —, every one.

monotone, monotonous.

monotonie, *f.*, monotony.

montagne, *f.*, mountain.

montée, *f.*, rise.

monter, to rise, mount, ascend.

montre, *f.*, watch.

montrer, to show.

moquer (se), to mock, deride.

moquerie, *f.*, jest, mockery.

moqueu-r, -se, mocking.

morceau, *m.*, piece, bit.

mordiller, to gnaw.

mordre, to bite.

morne, dull, gloomy.

mort, *f.*, death.

mort, -e, dead.

mortel, -le, mortal, deadly.

mortuaire, *f.*, mortuary.

morue, *f.*, codfish.

mot, *m.*, word.

motif, *m.*, object, motive.

mou, mol, *m.*, **molle,** *f.*, soft, feeble.

mouchoir, *m.*, handkerchief.

mouette, *f.*, sea-gull.

mouillage, *m.*, anchorage.

mouillé, -e, wet.

mouiller, to anchor, wet.

mouler (se), to be modelled, molded, outlined.

mourant, -e, *adj.*, dying; *m.*, dying person.

mourir, to die, perish.

mousse, *f.*, moss.

mousse, *m.*, cabin boy.

mousseline, *f.*, muslin.

mouvant, -e, moving.

mouvement, *m.*, movement, impulse.

moyen, *m.*, means, power.

muet, -te, silent.

mulet, *m.*, mule.

mur, *m.*, wall.

muraille, *f.*, wall.

musc, *m.*, musk.

museau, *m.*, nose.

muser, to loiter.

mutinerie, *f.*, mutiny.

myriade, *f.*, myriad.

mystère, *m.*, mystery.

mystérieu-x, -se, mysterious.

N

naï-f, -ve, simple, natural, plain.

naissance, *f.*, birth, dawn, rise.

naître, to be born.

naïvement, simply.
natte, *f.*, plait (of hair).
nature, *f.*, nature, habit.
naufragé, -e, shipwrecked.
naviguer, to sail, go to sea.
navire, *m.*, ship.
ne, no, not; —...rien, nothing;
—...que, only.
néant, *m.*, nothingness.
nécessaire, necessary.
négligé, -e, *p.p.*, neglected, careless.
négliger, to neglect.
neige, *f.*, snow.
net, -te, short, clear, clean, neat.
nettement, clearly.
neu-f, -ve, new.
nez, *m.*, nose.
ni, neither, nor.
niche, *f.*, corner, recess, niche.
nid, *m.*, nest.
noble, noble, great.
noce, *f.*, wedding; faire les —s,
to have a wedding.
noir, -e, black, gloomy, dark.
noirâtre, blackish.
noix, *f.*, walnut, nut.
nom, *m.*, name.
nommer, to call, name.
nonnain, *f.*, nun.
nord, *m.*, north.
Norden-Fiord, *f.*, North-Fiord.
Normand, *m.*, -e, *f.*, Norman.
notion, *f.*, idea.
Notre-Dame, *f.*, Our Lady.
noue-x, -se, knotty.
nouveau, nouvel, *m.*, nouvelle,
f., new; de —, again.
nouvelle, *f.*, news.
nu, -e, bare, naked.
nuage, *m.*, cloud.
nuance, *f.*, shade, degree, tint,
cast.
nuée, *f.*, cloud, swarm.
nuit, *f.*, night, darkness.
nul, -le, no, not any; — part,
nowhere.
numéro, *m.*, number.

O

obéir, to obey, yield.
objecter, to object.
objet, *m.*, object.
obliger, to oblige, force.
obscur, -e, obscure, gloomy,
dark, humble.
obscurcir, to obscure.
obscurité, *f.*, gloom, darkness.
observer, to observe, watch.
obstiné, -e, obstinate.
obstiner (s'), to persist.
occasion, *f.*, cause, occasion.
occuper, to fill, occupy, employ;
s'—, to be occupied, busy.
octobre, *m.*, October.
odeur, *f.*, odor.
odieu-x, -se, hateful.
odorant, -e, fragrant.
œil, *m.*, *pl.*, yeux, eye.
œillet, *m.*, pink, carnation.
officier, *m.*, officer.
oiseau, *m.*, bird.
ombrageu-x, -se, skittish, sus-
picious.
ombre, *f.*, shade, shadow.
ombrer, to shade.
on, one, they, we, you, people,
men.
oncle, *m.*, uncle.
onde, *f.*, shower, wave.
ondée, *f.*, shower.
ondulation, *f.*, undulation.
onze, eleven.
or, *m.*, gold.
or, but, now, well.
orchestre, *m.*, band.
ordinaire, ordinary.
ordre, *m.*, order, word, command.
oreille, *f.*, ear.
organiser, to organize.
orgue, *f.*, organ.
orné, -e, *p.p.*, adorned.
ornement, *m.*, ornament.
osciller, to swing, vibrate.
oser, to dare, be bold.
osé, -e, bold.

ôter, to take off, deprive.

où, *adv.*, where, through which; d'—, whence.

ou, *conj.*, or.

ouate, *f.*, wadding.

oublier, to forget.

ouest, *m.*, west.

ours, *m.*, bear.

ouvert, -e, open.

ouverture, *f.*, opening.

ouvrage, *m.*, work.

ouvrière, *f.*, workwoman.

ouvrir, to open; s'—, to be opened.

P

paille, *f.*, straw.

Paimpolais, -e, inhabitant of Paimpol.

pain, *m.*, bread.

paire, *f.*, pair, couple.

paisible, quiet, peaceable.

paix, *f.*, peace.

paletôt, *m.*, overcoat.

pâleur, *f.*, paleness.

palpiter, to palpitate, quiver.

panache, *m.*, plume.

panier, *m.*, basket.

panique, *f.*, panic.

panneau, *m.*, panel.

pantalon, *m.*, trousers.

papier, *m.*, paper.

papillon, *m.*, butterfly.

paquebot, *m.*, steamer, packet-boat.

paquet, *m.*, bundle.

par, with, by, out of, through, into, from, in, on, during, for, at.

parage, *m.*, part, quarter.

paraître, to appear, seem.

parallèle, *f.*, parallel.

parc, *m.*, park.

parceque, because.

parcourir, to look over.

pardon, *m.*, pardon, forgiveness; fair, pilgrimage.

pardonner, to pardon, overlook.

pareil, *m.*, -le, *f.*, equal, match.

pareil, -le, alike, equal, such, like.

pareillement, in the same way.

parent, *m.*, -e, *f.*, relative, parent.

parfaitement, perfectly.

Parisien, -ne, Parisian.

parler, to speak; se —, to speak to each other.

parmi, among.

parole, *f.*, word.

part, *f.*, part, share, interest; à —, apart; quelque —, somewhere; nulle — (*with* ne), nowhere.

partager, to divide, share.

particuli-er, -ère, particular, singular, peculiar.

partie, *f.*, part, plan, portion.

partir, to depart, go off.

partout, everywhere.

pas, *m.*, step, position.

pas, not; — du tout, not at all.

passant, *m.*, passer-by.

passe, *f.*, channel.

passé, *m.*, past.

passé, -e, faded.

passer, to pass, cross, wallow; se —, to happen.

passionner, to interest deeply.

patron, *m.*, master, patron saint.

patronne, *f.*, patroness, patron saint.

patte, *f.*, paw.

paupière, *f.*, eyelid, eyelash.

pauvre, poor.

pauvresse, *f.*, poor woman.

pauvreté, *f.*, poverty.

pavillon, *m.*, pavilion, flag.

pavoiser, to adorn with flags.

payement, *m.*, payment.

pays, *m.*, country.

paysan, *m.*, -ne, *f.*, peasant.

peau, *f.*, skin, hide.

pêche, *f.*, fishing, catch (*of fish*).

pêcher, to fish.

pêcheur, *m.,* fisherman ; *adj.,* fishing.

peindre, to paint.

peine, *f.,* pain, grief, labor, difficulty, trouble ; à —, hardly, scarcely.

penaud, -e, crestfallen.

pencher, to bend, lean ; se —, to bend.

pendant, during ; — que, while.

pendre, to hang, droop ; se —, to hang oneself.

pénétrant, -e, piercing.

pénétrer, to penetrate, pervade.

pénible, painful.

pensée, *f.,* thought.

penser, to think.

pensi-f, -ve, pensive, thoughtful.

pension, *f.,* pension, payment.

pente, *f.,* slope.

percer, to pierce, penetrate.

percher, to perch.

perdre, to lose ; se —, to be lost.

père, *m.,* father.

période, *f.,* period.

perle, *f.,* pearl, bead.

permettre, to allow.

perpétuellement, perpetually.

perse, *f.,* chintz.

persister, to persist, continue.

personnage, *m.,* person.

personne, *m.,* nobody, no one, anyone, anybody.

peser, to weigh, hang.

petit, -e, little, small.

petit-fils, *m.,* grandson.

petite-fille, *f.,* granddaughter.

petitesse, *f.,* smallness.

peu, *m.,* little.

peu, little.

peuplade, *f.,* tribe, school.

peupler, to people.

peur, *f.,* fear.

peut-être, perhaps.

photographie, *f.,* photography, photograph.

phrase, *f.,* phrase, sentence.

physionomie, *f.,* aspect, physiognomy.

pièce, *f.,* document, paper.

pied, *m.,* foot.

pierre, *f.,* stone, rock.

pierreu-x, -se, stony.

pignon, *m.,* gable.

pilote, *m.,* pilot, guide.

pin, *m.,* pine, pine tree.

pincer, to pinch ; se —, to pinch oneself.

piquant, -e, sharp, piquant.

pique, *m.,* pike.

piquer, to stick, pin.

place, *f.,* square, place ; sur —, in one spot.

plafond, *m.,* ceiling.

plage, *f.,* beach.

plain, plain, even.

plaine, *f.,* plain.

plainte, *f.,* complaint, groaning.

plainti-f, -ve, sad, plaintive.

plaire, to please.

plaisanterie, *f.,* jest, joke.

plaisir, *m.,* joy, pleasure.

planche, *f.,* board.

planchette, *f.,* little board.

planer, to hover.

planer, to plane, smooth.

planète, *f.,* planet.

planter, to fix, set up, plant ; se —, to station oneself.

plaque, *f.,* plate, plaque.

plaquer, to plate, plaster, flatten.

plat, -e, dull, flat.

pléiade, *f.,* Pleiades.

plein, -e, full ; en —, full, directly.

pleurer, to weep, mourn.

pleurs, *m. pl.,* tears.

pleuvoir, to rain.

pli, *m.,* fold, pleat.

plomb, *m.,* lead, shot, plumbline.

plombé, -e, *part.,* leaden color.

pluie, *f.,* rain.

plume, *f.,* feather.

plus, *m.*, more, no more.

plus, more; — de, than; de —, more, moreover; en —, besides.

plusieurs, *m., f. pl.*, several.

plutôt, rather.

poche, *f.*, pocket.

poids, *m.*, weight.

poignant, –e, acute, keen.

poil, *m.*, hair.

point, *m.*, stitch, point, dot; à —, in the nick of time.

point, not at all.

pointe, *f.*, point.

pointer, to point.

pointu, –e, pointed.

poisson, *m.*, fish.

poitrine, *f.*, chest, breast, lungs.

polaire, polar.

poli, –e, polite, polished.

poliment, politely.

pommette, *f.*, cheek-bone.

pompon, *m.*, tuft.

pont, *m.*, deck, bridge; faux —, spar deck.

porche, *m.*, porch, vestibule.

Pors-Even, *m.*, *a town in Brittany*.

port, *m.*, harbor.

porte, *f.*, door.

portée, *f.*, reach.

porter, to carry, bear, wear; se —, to be, flock to.

portière, *f.*, curtain, carriage door.

poser, to lean, place, rest.

poster, to post.

poumon, *m.*, lung.

pour, for, in order to, to, in, at.

pourchasser, to pursue.

pourquoi, why.

poursuivre, to proceed, follow.

pourtant, however.

pousse, *f.*, sprout, sprouting.

pousser, to push, throw, utter, drive, shoot up, sprout, grow.

poussière, *f.*, dust, powder.

poutre, *f.*, beam.

pouvoir, to be able, can, may; ne — plus, to be spent.

prairie, *f.*, meadow, prairie.

précédent, –e, previous, former.

précieu-x, –se, precious.

précipité, –e, hasty.

précipiter (se), to rush upon.

précisément, exactly, just.

prédire, to predict.

préférer, to choose, prefer.

premi–er, –ère, first.

prendre, to take, catch, captivate; seize; s'y —, to go about it; — garde, to take heed.

préoccupation, *f.*, thought.

préoccuper, to be busy.

préparatif, *m.*, preparation.

préparer, to prepare.

près, almost, nearly, near, close; de —, close by.

présager, to foretell.

présent, *m.*, present; à —, at present.

présent, –e, real, present.

présenter, to present; se —, to present oneself.

présider, to preside.

presque, almost.

pressentiment, *m.*, presentiment.

pressentir, to anticipate, have a presentiment.

pressé, –e, anxious.

presser, to press, hasten; se —, to press close.

prêt, –e, ready.

prêter, to give.

prétexte, *m.*, pretext.

prêtre, *m.*, priest.

prévenir, to inform, warn.

prévoir, to foresee.

prié, *m.*, –e, *f.*, guest.

prier, to pray, beg.

prière, *f.*, prayer.

printani–er, –ère, springlike.

printemps, *m.*, spring.

pris, –e, *p.p. of* prendre.

priver, to deprive.
prix, *m.*, price.
probablement, probably.
procédé, *m.*, proceeding.
prochain, -e, next, near, near at hand.
procuration, *f.*, proxy, power of attorney.
procurer, to obtain.
profit, *m.*, profit, use.
profond, -e, vast, deep, wide, profound. [ly.
profondément, deeply, profound-
profondeur, *f.*, depth.
projet, *m.*, plan, idea.
projeter, to project.
prolonger, to prolong, continue; se —, to be continued.
promenade, *f.*, walk, promenade.
promener, to walk, drive about, take; se —, to take a walk.
promettre, to promise; se —, to promise each other.
promontoire, *m.*, hill, promontory.
prompt, -e, prompt, swift.
prononcer, to pronounce.
propager (se), to be propagated, spread.
propos, *m.*, talk, purpose.
propre, neat, own, proper, very.
propret, -te, neat, tidy.
protéger, to protect.
provision, *f.*, provisions.
prunelle, *f.*, pupil (of eye).
publier, to publish.
puis, next, then, besides.
puiser, to take; — dans, to draw from.
puisque, inasmuch, seeing that.
puissance, *f.*, power.
pulluler, to multiply, increase.
pur, -e, pure.

Q

quai, *m.*, quay, wharf.
quand, when, while, what time.

quant à, as to, as for, with regard to.
quantité, *f.*, quantity, many.
quarantaine, *f.*, about forty.
quarante, forty.
quart, *m.*, watch.
quartier, *m.*, quarter, district.
quatorze, fourteen.
quatre, four; — à —, in great haste.
quatre-vingts, eighty.
que, *conj.*, than, as, only.
que, *pron.*, that, whom, which.
quel, -le, what.
quelconque, whatever.
quelque, some, any, few, whatever.
quelquefois, sometimes.
quelqu'un, *m.*, -e, *f.*, some, some person.
question, *f.*, question, point, issue.
questionner, to question.
queue, *f.*, tail, braid, stem.
qui, who, which, whom, that. some, what.
quille, *f.*, keel.
quinzaine, *f.*, about fifteen.
quinze, fifteen.
quitter, to leave, give up, lay aside.
quoi, which, what.

R

raccommoder, to mend.
raccompagner, to accompany (back).
race, *f.*, race, family.
raconter, to relate, tell.
rade, *f.*, roadstead.
rafale, *f.*, squall, gust.
rage, *f.*, fury.
rageusement, madly.
raide, stiff, tight, steep, rapid
raidir, to stiffen.
raison, *f.*, reason.

raisonner, to reason.

rajeunir, to grow young again, revive.

rajuster, to readjust, settle.

ralentir, to slacken; se —, to slacken.

rallier, to rally.

ramasser, to heap up, collect.

ramener, to recall, bring back.

ramifier (se), to branch out.

rancune, f., malice, spite.

rangée, f., row.

ranger, to arrange, set in order; se —, to draw back.

rapide, quick, sudden.

rapidement, rapidly.

rappel, m., recall, call.

rappeler, to recall; se —, to call back, remember.

rapporter, to bring in, bring again, bring back.

rapprochement, m., bringing together.

rapprocher, to approach.

rare, unusual.

ras, m.; au — de l'eau, almost touching the water.

ras, -e, close, smooth.

rassemblement, m., gathering, mob.

rassembler (se), to meet, unite.

rassurer, to reassure.

rattraper, to recover, catch again.   [light.

ravissement, m., pleasure, de-rayon, m., ray.

rebondir, to rebound.

rebord, m., ledge, border.

reborder, to put new border to.

rebourrer, to (stuff) fill again.

rebrousser, to turn back.

recauser, to talk again.

recevoir, to receive.

rechange, m., change, change of clothing, spare thing.

rechanger, to change again.

recharger, to recharge, load again.

réclamer, to protest.

recoiffer, to dress one's hair again, put a cap on again.

recommandation, f., reference, recommendation.

recommander, to recommend.

recommencer, to begin again.

reconduire, to accompany to the door.   [ing

reconnaissance, f., reconnoiter-reconnaître, to recognize; se —, to know each other.

reconter, to relate over again.

recourir, to resort (to).

recouvrir, to cover, conceal.

Recouvrance, f., Recovery.

rectitude, f., rectitude, straightness.

reçu, m., receipt.

recueillir, to collect, shelter, keep.

recul, m., recoil.

reculer, to draw back, fall back.

redescendre, to come down again.

redevenir, to become again.

redevoir, to owe.

rédiger, to compose, word.

redire, to repeat.

redouter, to fear, dread.

redresser, to make straight; se —, to straighten up; — debout, to stand erect again.

réduit, m., retreat, habitation.

réel, -le, real.

refermer, to close up again; se —, to shut again.

réfléchir, to reflect.

reflet, m., reflection.

refléter, to reflect.

refleurir, to flower again.

réflexion, f., thought, reflection.

refus, f., refusal, denial.

refuser, to refuse.

regard, m., look, glance.

regarder, to look, look at; se —, to look at each other.

régler, to settle.

regretter, to regret.

réguli–er, –ère, regular.

régulièrement, steadily.

Reickawick, *m.*, *capital of Iceland*.

reine, *f.*, queen.

rejeter, to reject, toss back.

rejoindre, to join.

relâche, *f.*, intermission, rest, harbor, putting in, stop.

relâcher, to release, put in, stop.

relevé, *m.*, shifting.

relever, to raise, relieve; se —, to rise again.

religieu–x, –se, religious, nun-like.

relire, to reread.

remède, *m.*, remedy, medicine.

remercier, to thank.

remettre, to put back, put off, postpone, return; se —, to begin again.

remonter, to go up again, rise, go back, come; wind up.

remords, *m.*, remorse.

remorqueur, *m.*, tug.

rempart, *m.*, rampart.

remplaçant, *m.*, substitute.

remplir, to fill again.

remuant, –e, restless.

remuer, to move, stir.

rencontre, *f.*, meeting.

rencontrer, to meet, find.

rendez-vous, *m.*, place of meeting, appointment.

rendre, to express, return, take, give; se —, to go, proceed.

renfermer, to shut up, contain; *p.p.*, close-mouthed.

renfort, *m.*, reinforcement.

renom, *m.*, renown, reputation.

renouveau, *m.*, springtime.

renouveler, to renew.   [in.

rentrer, to return, re-enter, bring

renvoyer, to reflect.

répandre, to diffuse, give out; se —, to be spread about, spread oneself.

reparaître, to reappear.

réparation, *f.*, repairing; *pl.*, repairs, relief.

réparer, to repair.

reparler, to speak again.

repartir, to set off again.

repasser, to revolve, pass again, go over, review.

repeindre, to repaint, paint anew.

repenser, to think again.

repère, *m.*, mark.

répéter, to repeat.

replier, to fold again.

replonger, to plunge again.

répondre, to reply.

réponse, *f.*, reply.

repos, *m.*, rest, ease, quiet.

reposé, –e, calm, quiet.

reposer, to repose, rest; se —, to rely.

reposoir, *m.*, temporary altar.

repousser, to repel, spurn, beat back.

reprendre, to resume, recover, take again.

réprimande, *f.*, rebuke.

reprise, *f.*, resumption; à plusieurs —s, repeatedly.

reproche, *m.*, reproach.

reprocher, to reproach.

réserver, to reserve.

résolu, –e, resolute.

résonner, to echo.

respect, *m.*, respect, regard.

respecter, to respect.

respectueu–x, –se, respectful.

respirer, to breathe.

resplendissement, *m.*, splendor.

ressemblance, *f.*, resemblance.

ressembler, to resemble.

ressort, *m.*, resort, force, spring.

ressouvenir, *m.*, memory.

reste, *m.*, rest; du —, moreover.

rester, to remain.

retard, *m.*, delay.

retardataire, *m.*, loiterer.

retarder, to delay, hinder

reteindre, to dye again.
retenir, to keep, retain, remember.
retirer, to draw out.
retomber, to fall.
retour, *m.*, return.
retournement, *m.*, turning about, whirl.
retourner, to turn again, return, turn up; se —, to turn around.
rétrécir (se), to contract, narrow.
retrouver, to recover, find again; se —, to find oneself, be collected.
réunir, to reunite, collect.
reussir, to succeed.
rêve, *m.*, dream.
réveil, *m.*, awakening, alarm.
réveiller, to arouse, revive.
révéler, to reveal.
revendre, to resell.
revenir, to return, occur.
rêver, to dream.
révérence, *f.*, bow.
revoir, to see again.
revoir, *m.*, seeing again; au —, farewell.
revue, *f.*, survey.
richesse, *f.*, wealth.
ricocher, to skip.
rideau, *m.*, curtain.
rien, *m.*, nothing, anything; — que, merely.
rieu-r, -se, laughing.
rire, to laugh, smile.
rire, *m.*, laugh.
rivage, *m.*, shore, beach, bank.
rivière, *f.*, river, stream.
rizière, *f.*, rice field.
robe, *f.*, dress.
robuste, hardy.
roche, *f.*, rock.
rocher, *m.*, rock, crag.
rôder, to roam, prowl.
roi, *m.*, king.
rompre, to burst, break; se —, to snap.

rond, -e, round.
ronde, *f.*, round; à la —, round about.
ronflant, -e, snoring.
ronger, to gnaw, waste.
rose, rosy, pink.
rosé, rosy, pink.
rosier, *m.*, rosebush.
roue, *f.*, wheel.
rouet, *m.*, small wheel.
rouge, red.
rouleau, *m.*, roll.
rouler, to roll.
roulement, *m.*, rolling, turning.
roussir, to redden.
route, *f.*, way, journey, route.
rou-x, -sse, reddish.
ruban, *m.*, ribbon.
rude, rough, harsh.
rudement, harshly.
rudesse, *f.*, ruggedness.
rue, *f.*, street.
ruelle, *f.*, lane, alley.
rugir, to yell, groan.
rugueu-x, -se, wrinkled, seamed.
ruine, *f.*, ruin.
ruisselant, -e, trickling, dripping.
ruisseler, to stream, run down.
rumeur, *f.*, noise.

S

sable, *m.*, sand.
sabord, *m.*, gunport, porthole.
sabot, *m.*, wooden shoe.
sac, *m.*, sack, bag, knapsack.
sacrement, *m.*, sacrament.
sage, wise, steady.
sain, -e, sound, clear, healthy.
saint, -e, holy.
saint-sacrement, *m.*, host, monstrance.
saisir, to seize, startle, perceive.
saisissement, *m.*, shock.
saison, *f.*, season.
salaire, *m.*, wager, reward.

salant, salt.

sale, dirty.

salé, -e, salt, keen.

saler, to salt down.

salin, -e, briny.

saline, *f.*, salt provisions, salt fish.

salle, *f.*, room, hall.

salpêtre, *m.*, saltpeter.

saltimbanque, *m.*, clown, juggler.

saluer, to greet, salute, bow to.

salut, *m.*, bow, greeting.

sang, *m.*, blood.

sanglot, *m.*, sob.

sans, without, but.

santé, *f.*, health.

saumure, *f.*, brine.

saurer, to smoke (herrings).

sauter, to jump, leap.

sauterelle, *f.*, grasshopper, locust.

sauvage, *m.*, pirate.

sauvage, wild, timid, unsociable.

sauvagerie, *f.*, shyness.

sauver (se), to escape, run away.

savoir, to know, be able.

scabieuse, *f.*, scabious, 'mourning bride.'

sceller, to fasten.

scène, *f.*, scene.

sculpter, to carve.

sec, sèche, dry, unfeeling, sharp.

sécher, to dry.

second, -e, second.

secondaire, secondary.

seconde, *f.*, second.

secouer, to shake, toss; se —, to shake oneself.

secours, *m.*, aid.

secousse, *f.*, shock.

séculaire, of centuries, venerable, secular.

sein, *m.*, breast.

sel, *m.*, salt, wit.

semaine, *f.*, week.

semblable, similar.

sembler, to seem, appear.

sens, *m.*, way, direction.

sensation, *f.*, feeling, sensation.

sensiblement, noticeably.

sensiblerie, *f.*, sentimentality.

senteur, *f.*, odor, perfume.

sentier, *m.*, path, way.

sentiment, *m.*, feeling.

sentir, to smell, taste, feel know; se —, to feel.

séparer, to separate; se —, to separate.

sept, seven.

septembre, *m.*, September.

sépulcre, *m.*, tomb.

sérénité, *f.*, serenity.

sérieu-x, -se, serious; *n.*, seriousness.

serré, -e, compact.

serrement, *m.*, oppression, anguish.

serrer, to press closely, fit snugly, oppress, tighten; se —, to press each other close.

serre-tête, *m.*, head-band.

service, *m.*, military service.

servir, to serve, be of service.

seuil, *m.*, sill, threshold, base.

seul, -e, alone, only, single.

seulement, only, merely.

si, *conj.*, whether.

si, *adv.*, so.

siècle, *m.*, century.

sien, -ne, his, hers, its.

siffler, to whistle.

sifflet, *m.*, whistle.

signaler, to notice.

signer, to sign.

silencieu-x, -se, silent.

silhouette, *f.*, profile.

sillage, *m.*, wake.

simple, single, only, simple.

simplement, only, simply.

singe, *m.*, ape.

singuli-er, -ère, singular.

sinistre, dismal, sinister.

sirène, *f.*, siren.

situé, -e, situated.

situer, to place.

société, *f.*, society.
sœur, *f.*, sister, woman.
soi, oneself, self, itself.
soigner, to take care of.
soigneusement, carefully.
soin, *m.*, care.
soir, *m.*, evening.
soirée, *f.*, evening.
soixantaine, about sixty.
soixante, sixty.
soixante-dix, seventy.
soixante-seize, seventy-six.
sol, *m.*, earth, soil.
soldat, *m.*, soldier.
soleil, *m.*, sun, sunshine.
solennel, –le, solemn.
solide, solid, firm.
solive, *f.*, beam, joist, rafter.
sombre, dark, dingy, gloomy, sad.
sombrer, to go down, capsize.
somme, *f.*, sum.
sommeil, *m.*, sleep.
son, *m.*, sound.
sonder, to sound, fathom, investigate.
songer, to think, dream.
sonner, to sound, ring.
sonorité, *f.*, sonorousness.
sort, *m.*, fate, fortune; tirer au —, to draw lots.
sorte, *f.*, sort, kind.
sortie, *f.*, going out, departure.
sortir, to emerge, depart, start, come out.
souci, *m.*, care, anxiety; sans — de, careless about.
soucier (se), to care (for).
souffle, *m.*, wind, breath.
souffler, to blow, breathe, blow out.
soufflet, *m.*, bellows.
souffrance, *f.*, suffering, suspense.
souffrir, to suffer.
soufre, *m.*, sulphur.
soulever, to raise.
soumettre, to submit.

soumis, –e, submissive, subject.
soumission, *f.*, obedience, submission.
soupe, *f.*, soup, dinner.
souper, to sup.
souper, *m.*, supper.
souple, pliant, supple.
sourcil, *m.*, eyebrow.
sourd, –e, dull, hollow.
sourire, to smile.
sourire, *m.*, smile.
sous, under, upon, with, in, by.
sous-entendre, to hint.
soute, *f.*, store-room, coal-bunker.
soutenir, to support.
soutien, *m.*, support.
souvenir (se), to remember.
souvenir, *m.*, remembrance.
souvent, often.
stationner, to station.
stature, *f.*, height.
stopper, to stop.
style, *m.*, manner, style.
suaire, *m.*, shroud.
subir, to submit, suffer.
subit, –e, sudden.
subitement, suddenly.
subsister, to subsist, continue.
sud-ouest, *m.*, southwest.
suffire, to be sufficient.
suite, *f.*, procession, rest, consequence; par la —, from what followed; à la —, after, behind; tout de —, immediately.
suivre, to follow.
sujet, *m.*, subject.
superbe, stately.
superstitieu-x, –se, superstitious.
suprême, supreme, highest, last.
sur, upon, on, over, to, by, in, about, above, at.
sûr, –e, sure, certain, safe.
sûrement, surely.
sûreté, *f.*, sureness.
surlendemain, *m.*, day after tomorrow.

surmener (se), to be overdriven.

surprendre, to surprise.

surtout, especially.

surveiller, to watch, superintend.

suspendre, to stop, hang.

svelte, slender.

symétrique, symmetrical.

T

tache, f., spot.

tâcher, to try, seek.

taille, f., waist, height, stature.

tailler, to cut, shape.

talent, m., power, talent, skill.

talon, m., heel.

talus, m., slope, bank.

tandis que, while.

tant, by and by, so many, as many, so much.

tantôt, soon.

tapage, m., noise.

tapir (se), to crouch down, lie hidden.

tapis, m., carpet, cover, cloth.

tard, late.

tarder, to delay, be long; ne va pas —, is going to come soon.

tarir, to dry up, exhaust.

tasser (se), to pile up, be heaped up.

teinte, f., tint.

tel, -le, such.

tellement, such.

tempe, f., temple.

tempête, f., tempest.

temps, m., time, weather.

tenace, tenacious.

tendance, f., inclination, tendency.

tendre, tender.

tendre, to stretch, hang, spread, spread out, strain.

tendrement, tenderly.

tendresse, f., love, fondness.

ténèbres, f. pl., darkness, night.

ténèbreu-x, -se, gloomy.

tenir, to hold, have, regard, keep, possess, hold together; se —, to be held; stay, stand.

tentative, f., attempt.

tente, f., awning.

tenter, to attempt, try.

tenue, f., dress, appearance.

terminer, to end.

terne, dull.

terrain, m., ground, soil.

terre, f., land, earth, clay.

terre-neuvien, m., Newfoundland dog.

terrer, to burrow; se —, to burrow oneself.

terrestre, earthly.

terreur, f., terror.

terrible, forbidding, awful.

terrier, m., hole, burrow.

testament, m., will.

tête, f., head; à tue-—, at the top of one's voice.

têtu, -e, headstrong.

tiède, mild.

tiens! why! look! look there!

tige, f., stem.

timbre, m., tone, sound.

timbrer, to stamp.

timidement, timidly.

tir, m., shooting, fire.

tirer, to draw, fire, extricate.

toile, f., sail, linen cloth; — à voile, sail-cloth.

toilette, f., toilet; faire —, to dress up.

toit, m., roof.

toiture, m., roof.

tombe, f., tomb.

tombeau, m., tomb.

tombée, f., fall.

tomber, to fall, happen.

ton, m., tone, tint, color.

tondre, to shave.

tordre, to twist.

torpeur, m., torpor.

torse, m., trunk.

torturer, to twist.

tôt, soon.

toucher, to touch, receive, cash, regard; — à, to be very near; se —, to move.

touffe, *m.*, tuft.

toujours, always, still, ever.

tour, *m.*, circuit, tour, turn, trip.

tourbillon, *m.*, whirlwind.

tourbillonner, to whirl.

tourmente, *f.*, storm.

tourmenter, to torment, toss; se —, to toss about, be uneasy.

tournoyer, to turn, whirl around.

tournure, *f.*, course, shape, figure.

tous, *m. pl. of* tout.

tout, *m.*, all, whole, everything.

tout, quite, however; — à fait, entirely; **du** —, at all; — de suite, quickly.

tout, -e, all; — le monde, everyone.

tracer, to trace.

traditionnel, -le, traditional.

traînée, *f.*, trail, streak, procession.

traîner, to drag, linger; se —, to crawl, creep.

traiter, to treat.

traître, *m.*, traitor.

trajet, *m.*, journey.

tranquille, calm.

tranquillement, quietly.

transfigurer, to transfigure.

transparence, *f.*, transparency.

transparent, *m.*, transparency.

transparent, -e, transparent.

trapu, -e, thick-set.

travail, *m.*, work, toil.

travailler, to work.

travers (à), across; **de** —, crosswise.

traverse, *m.*, breadth.

traverser, to cross.

Tréguier, *f.*, *a fishing town near Paimpol.*

tremblement, trembling.

trembler, to tremble.

trémousser (se), to flutter.

tremper, to dip.

trente, thirty.

trépassé, *m.*, dead (person).

très, very.

tressaillir, to tremble, start.

tresse, *f.*, tress.

tresser, to weave.

trêve, *f.*, truce.

tricot, *m.*, knitted jacket.

tricoter, to knit.

tricoteu-r, *m.*, -se, *f.*, knitter.

trille, *m.*, trill, quaver.

Trinité, *f.*, Trinity.

triste, sad.

tristesse, *f.*, sadness.

triton, *m.*, triton, sea god.

troisième, third.

trompe, *f.*, trumpet.

tromper, to deceive, delude.

tronc, *m.*, trunk.

trôner, to sit on a throne.

trop, too, too much, over; **de** —, too many.

trophée, *m.*, trophy.

trottiner, to toddle.

trou, *m.*, hole.

trouble, *m.*, agitation, confusion.

trouble, dim, confused, disturbed.

troubler, to disturb.

trousseau, *m.*, outfit.

trouvaille, *f.*, finding, godsend.

trouver, to find, consider; se —, to be found, be.

tuer, to kill.

tuerie, *f.*, slaughter.

tue-tête (à), at the top of one's voice.

U

uni, -e, simple.

uniforme, uniform.

uniformément, uniformly.

unique, only, single, matchless.

urgence, *f.*, urgency.
usage, *m.*, custom, usage.
usé, –e, worn out, trite.
user, to wear out, spend, waste.
ustensile. *m.*, utensil, tool.

V

vacillant, –e, flickering, uncertain.
vaciller, to flicker.
va-et-vient, *m.*, going and coming, bustle.
vague, *m.*, vagueness, emptiness.
vague, faint, indistinct.
vaguement, vaguely.
vaguemestre, *m.*, baggage-master.
vaillant, –e, brave, gallant.
valoir, to be worth, procure, cost.
vannier, *m.*, basket-maker.
vapeur, *f.*, mist, vapor, steam.
veille, *f.*, evening, day before.
veillée, *f.*, evening.
veiller, to watch, sit up.
velouté, *m.*, velvet, bloom.
velouté, –e, velvety.
vendre, to sell.
venir, to come, occur, arise; — de, to have just (done something).
vent, *m.*, wind.
vente, *f.*, sale, auction.
ventre, *m.*, belly.
verdure, *f.*, verdure, greenness.
vergue, *f.*, yard (of a mast).
vermoulu, –e, decayed.
veronique, *f.*, veronica, speedwell.
verre, *m.*, glass.
verrou, *m.*, bolt.
vers, toward.
verser, to turn, cast, deposit.
vert, *m.*, green.
vert, –e, green.
vertebre, *m.*, vertebra.

vertige, *m.*, dizziness.
veste, *f.*, jacket, sack coat.
vêtement, *m.*, garment.
vêtir, to dress.
veuve, *f.*, widow.
vibrant, –e, vibrating.
vibrer, to vibrate, throb.
vide, *m.*, gap, void.
vide, open, empty, destitute.
vider, to empty, end.
vie, *f.*, life.
vieillard, *m.*, old man.
vieillesse, *f.*, old age.
vieillot, –te, oldish.
vielle, *f.*, hurdy-gurdy.
vierge, *f.*, virgin.
vierge, *adj.*, pure.
vieux, vieil, *m.*, vieille, *f.*, old.
vi–f, –ve, alive, eager, animated.
vigilant, –e, watchful.
vigoureu-x, –se, vigorous.
vigueur, *f.*, vigor, power, strength.
violet, –te, *adj. and n.*, violet.
vivifiant, –e, vivifying, quicken.
vivres, *m. pl.*, provisions. [ing.
vœu, *m.*, vow, wish.
voici, here is, (lo and) behold.
voilà, there is, behold.
voile, *f.*, sail; *m.*, veil, sheet.
voiler (se), to be veiled, concealed.
voilure, *f.*, set of sails.
voir, to see; se —, to be seen, see oneself.
voisin, *m.*, –e, *f.*, neighbor.
voisin, –e, adjacent, neighboring.
voiture, *f.*, carriage, vehicle.
voix, *f.*, voice.
vol, *m.*, flight.
voler, to fly.
volontaire, willful, voluntary.
volonté, *f.*, will.
volontiers, willingly.
vouer, to devote, vow; se —, to devote oneself (to).

vouloir, to wish, want; en —, to bear a grudge; — **dire**, to mean.

voyage, *m.*, journey, voyage, travel.

voyageu-r, *m.*, **-se**, *f.*, traveler; **banc** —, migratory school (of fish).

vrai, *m.*, truth.

vrai, **-e**, real, true, genuine.

vraiment, truly, indeed!

vue, *f.*, view, sight.

W

wagon, *m.*, railway car.

Y

y, *pron.*, to it; to them; of it.

y, *adv.*, there; **il** — **a**, there is; there are; ago.

yeux, *m. pl.*, eyes.

yole, *f.*, yawl.